U0504195

企业技术创新
项目评价与决策体系研究

张凌 著

人民出版社

目　录

第一章　绪　论

第一节　问题的提出

一、技术创新过程的复杂性和不确定性

技术创新作为联结科技发展与经济增长的中间环节，有许多惊险的飞跃——从科学知识到技术知识，从技术知识到科技发明成果，从科技发明成果到生产企业，从生产企业到最终消费者——这里的每一次飞跃都充满着风险和不确定性，是一个极其复杂的筛选和淘汰的过程。因此，技术创新是一个极端复杂和不确定性的社会过程。

1. 技术创新过程的复杂性

技术创新过程的极端复杂性主要体现在以下几个方面：

（1）技术成果的筛选是一个动态的复杂过程

现代科学技术发展的一个重要特征就是学科分化日益细密复杂，并在此基础上形成一个分工严密、互相促进的现代科学技术知识体系。不仅各个不同学科本身的发展越来越深化和专门化，而且不同学科之间的关系也越来越复杂，与此有关的科学技术信息和知识（即科学技术成

1

果）不断地以极高的速度被生产出来并传播到世界各地。仅以专利计算，全世界科学家们所创造的各种研究成果就数以百万计。所谓信息爆炸就是这种科学技术发展状况的真实反映。

不但现代科学技术发展呈现出极端的复杂性，而且有关技术成果的持有者也往往对其技术与市场前景做出过分乐观的估计。对于创新企业来说，客观地在大量科学技术成果中筛选出具有较大产业化潜力的技术成果就是一件极为复杂艰难的工作。这样一种筛选活动，要求决策者不仅要对有关技术成果及其发展潜力有充分的了解，而且要对有关技术成果形成产品后的市场前景有一个基本的判断，并还要在与其他技术成果进行比较鉴别及对选出技术的机会成本进行周密计算的基础上作出决策。因此，无论从哪个方面来说，筛选技术成果都是企业进行技术创新活动的第一步，而且是至关重要的一步，因为它在很大程度上决定着技术创新活动的成败。

（2）科技成果的实用化是一个复杂的过程

由于技术创新过程主要是一个把技术设计（观念）变成产品的过程，或是把设计思想变成实用技术的过程，因此，技术成果的实用化是技术创新过程的核心环节。它所要解决的不是思路问题，而是手段问题，即如何才能使处于萌芽状态的技术成果转变为具有可操作性的实用技术，其目标产出是具体的设计蓝图和计划书以及具体样品。在技术创新经济学家们看来，这一工作即是开发活动。技术创新企业不仅需要投入大量的无形资产（如科学知识、技术、实际问题与思想以及初步的发明与改良），而且要投入大量有形资产（如科学家、工程师、技术助手以及各种实验物资等），因而既涉及技术创新活动的技术方面，也涉及技术创新活动的组织方面，其复杂性是显而易见的。

（3）技术成果变为产品并从企业进入市场是一个复杂的过程

就整个技术创新活动而言，以特定技术成果开发利用为基础的产品推向市场是从科技知识到满足消费者需求的最后一跃，而且也是整个技术创新活动的关键。在这一时期，技术创新企业的主要目标是建立起以新技术为基础的新型工厂并生产出新产品投放市场。企业的投入较前几个时期大幅度增加，不仅有无形投入（如经过商业性开发的技术发明、市场预测、财务资金等），还有大量有形的投入（如各种建筑材料、机器以及工具等），许许多多的企业家、工程师、管理人员、金融家和银行家以及建筑者和承包商也参与到这一进程中来，而工厂的产出也包括了新型工厂和生产线、新产品以及改良的生产工艺等。由于这个过程是企业开拓产品市场的阶段，并且创新产品能否为消费者所接受也将在这一阶段得到最终验证。从技术成果到市场营销，也因此成为整个技术创新活动中最为复杂的一个环节。

技术创新作为一种社会活动，从一种科技思想到最终产品的产生，中间要经过许多环节。在这个过程中，各个环节实际上都包含着多种发展道路的选择，因而是一个高度复杂的技术经济活动。

2. 技术创新过程的不确定性

技术创新过程的复杂性，决定了技术创新不仅是一个漫长的过程，而且是一个曲折起伏的过程，任何一个简单模型都不可能准确地把握住技术创新全部固有的特征。这就意味着，我们不仅很难把握其内部结构及其发展趋势，而且对于技术创新时间的长短以及最终结果也难以在事先有一个明确一致的看法。因此，从某种意义上说，正是技术创新过程的复杂性决定了技术创新过程中的不确定性。

技术创新过程中的不确定性，是由肯尼思·阿罗于1962年提出来的。阿罗在他的著作中明确提出技术创新过程具有三个突出的特征，即不确定性、不可分割性以及创新利润的非独占性。其中，技术创新过程的不确定性是核心特征，它对于技术创新进程的影响最大。这是因为，不可分割性是指技术创新过程的整体性，是一种对技术创新过程的描述性特征，这并不能使我们对于技术创新过程本身有任何更为深入的了解；而创新收益的非独占性则可以纳入技术创新过程的不确定性来分析，因为创新收益的非独占性虽然是肯定的，但是，创新企业究竟能够占有多少技术创新收益则是不确定的。

事实上，作为技术创新过程的一个分析性特征，不确定性存在于技术创新过程的每一个环节，影响着技术创新过程中的每一项决策，因而是技术创新过程中的一个核心特征。

技术创新过程中至少存在着四种不确定性：

（1）技术方面的不确定性

所谓技术方面的不确定性是指创新企业在技术发展的方向、速度以及所能达到的最终结果方面存在的不确定性。因为创新企业不能确定在所进行的诸多研究开发领域中新的技术突破将在哪一个方向以何种速度开始，不能确定这种技术突破将对现有技术结构产生何种影响及其后果。因此，新技术的发展前景是不确定的，创新企业往往面临着相当大的风险。其中，创新方向的不确定性对于技术创新进程的影响是最大的，因为它在很大程度上决定了创新企业所选择的技术方向是否代表了该技术发展的主流方向，决定了创新企业的未来。

（2）市场方面的不确定性

任何技术创新的最终成果都必须接受市场的检验，技术创新必须恰如其分地描述并反映市场的需求，因此，市场方面的不确定性对于技术创新过程有着决定性的意义。任何新技术在其诞生之初，由于市场上缺乏有关该技术的供求信息，创新产品的市场前景是不确定的，创新企业必然面临着在建立新的生产线、培训员工、推销产品、教育消费者等方面的巨大风险。因此，对于创新企业来说，很难准确地预测出未来何种技术将是有用的。

（3）技术创新收益分配的不确定性

技术创新利润的非独占性是阿罗提出的技术创新过程所具有的一个特征。创新企业不能够占有技术创新的全部收益。但是，在创新过程开

4

始以前的决策中，创新企业一般都有意或者无意地假定它们能够占有创新利润的全部或者绝大部分，而且任何技术创新决策都是以此为基础制定的。但事实并非如此。这是因为，一个创新企业所进行的技术创新活动获得了成功，其他企业（包括其竞争对手）就会千方百计地获取有关创新技术的信息资料，并将其应用于本企业的生产经营活动之中。在这种情况下，创新收益不可避免地会从创新企业溢出。因此，创新企业究竟能否实现其创新收益目标，主要取决于创新企业的市场地位、所在产业部门的市场结构、创新企业领先于其他企业的程度、模仿企业追赶创新企业的速度以及有关知识产权保护方面的立法和政策法规的完善程度等多方面的因素。换言之，在创新收益的占有与分配方面，技术创新项目的前景是不确定的，企业并不能保证它能够占有技术创新的全部或者绝大部分收益。至于创新企业究竟最终能够占有多大比例的创新收益，企业所获得的创新收益是否必然大于社会收益，也是有高度不确定性的。

（4）制度环境方面的不确定性

从制度经济学的角度来看，技术创新的主体虽然是企业，而创新企业是在一定的社会经济框架中进行技术创新活动的。这种技术创新的外部环境直接参与到技术创新的过程之中，并且对其发展的速度、方向以及技术创新的最终结果产生巨大的影响。从某种意义上讲，创新产品在何时、何地以何种价格和规模进入市场很大程度上并不是由技术或者市场决定的，而是由于这种制度环境所决定的。由于制度环境主要是由政府行为和公众偏好所组成，而政府行为和公众偏好均存在极大的不确定性。

二、研究的意义

加强技术创新是我国21世纪的科技工作与经济工作中的一项重要战

略任务。中共中央和国务院在《关于加强技术创新，发展高科技，实现产业化的决定》中，提出了"加强技术创新，发展高科技，实现产业化，推动社会生产力跨越式发展"，对从事经济理论研究和企业改革实践的工作者提出了新的任务，即围绕国家创新体系的建设，结合我国国情和企业实际，解决如何选择重点产业领域中的创新技术和创新项目的问题。具体的创新技术和创新项目是构成国家创新体系的微观基础，构筑好这一微观基础的必要条件之一是在创新项目的投资前做好创新项目的技术经济评价与决策工作，而要做好这一工作就需要一套科学而实用的技术创新项目评价与决策的理论和方法，这也正是本书的基本出发点。因而，本书的研究对于提高技术创新项目评价与管理决策的科学化水平、丰富和完善技术创新项目的管理理论和方法、增强企业竞争能力、加快我国技术创新工程体系的建设和推动社会生产力的跨越发展，促进我国科技、经济和社会协调发展具有重要的理论意义和实践价值。

第二节 国内外研究动态

技术创新项目的评价与决策理论和方法研究，是现代创新经济学和创新管理学的重点研究领域之一。在创新经济学和创新管理学的研究领域里，关于技术创新理论和实践的研究，已取得了理论研究和实践探索的重大进展。

一、国外技术创新项目评价研究动态

早在1912年，美籍哈佛大学教授、经济学家熊彼特就在其著作《经济发展理论》中，建立了以创新理论为核心的非均衡动态发展理论，开辟了基于创新理论研究经济周期现象和经济发展规律的一条新途径，形成了创新经济学说的基本理论框架。

创新理论发展至今，得到更为广泛和深入的研究，现阶段的主要特点是：

其一，研究范围广，在技术创新扩散理论、技术创新管理理论、技术创新与市场结构及产业结构的关系、技术创新对产出及就业的影响、技术创新中政府的作用等方面取得了新的进展；

其二，研究方法和研究手段多样化，综合运用现代经济学和管理科学的多种方法，以及调查研究、案例剖析、实证分析等多种手段来研究和验证创新理论的各个方面。

1. 技术创新项目评价指标体系

英国R·库姆斯、P·萨维奥蒂、V·沃尔什等人的研究，一方面从微观的角度讨论了技术创新和厂商的关系，主要包括技术创新动力、厂商技术创新战略的构成、组织和实施；另一个方面从中观和宏观的角度探讨了技术创新的模式、技术创新的扩散、技术进步与产出、就业以及贸易的关系；第三个方面则是从政治和社会的角度探讨了技术创新和政府政策及社会公众的关系。该项研究中涉及的关于技术创新项目评价与选择的研究，给出了由特威斯于1980年提出的包括"公司的目标、战略、政策和价值"，"销售准则"，"研究和发展准则"，"财务准则"，"生产准则"，"环境与生态准则"共六大原则47个细则的项目评价准则检查表，尽管该检查表基本上流于简单的定性分析，且按照R·库姆斯、P·萨维奥蒂、V·沃尔什等人的说法该检查表"不适合广泛应用，也不全面"，然而，大多数公司也许会发现这个检查表在项目评价中还是比较贴切的，这为后来的技术创新项目评价指标体系的研究奠定了基础。V.Chiesa，P.Coughlan和C.Voss结合企业具体情况设计出高标准定位审计框架，将影响创新成功的关键因素分为战略因素、开发过程因素、市场环境和组织因素四类。并在设计框架的基础上，设计了调查问卷和创新过程的业绩审计指标体系，对最佳创新公司的技术创新实践进行了高标准定位研究，明确了最佳创新公司领先于一般企业的优势，为企业指出了创新管理过程的改进方向。

库伯通过对新产品投资的实证研究发现，与新产品投资相关的因素有四个：①产品差异化优势；②项目资源相容性；③市场需求、增长和规模；④对用户的经济效益。

泽尔哥和梅迪克通过设计、调查发现了影响电子行业新产品成败的关键因素，包括R&D组织的素质、产品开发和导入过程中管理层的支持。

2. 技术创新项目风险评价

布鲁诺在定性阐述评价准则的基础上，请专家根据已选好的准则评分，经过因素分析和线性拟合后，得出了美国的项目风险评价模型。该模型在项目风险评估时考虑了23个标准以及影响投资决策的4类16个主要因素，它们分别是：（1）市场吸引力，包括市场规模、市场需求、市场增长潜力和市场接近程度；（2）产品差异程度，包括产品独特性、技术能力、边际利润和专利保护；（3）管理能力，包括管理技能、财务技能、市场营销技能和企业家能力；（4）对环境威胁的抵抗能力，包括防止竞争者进入的能力、风险防范能力、防止产品老化能力和经济周期抵抗能力。

美国哈佛商学院的莫里尔蒂和考斯尼在《高技术市场》一文中，将高技术风险分为市场风险和技术风险。美国的毕利则将高技术风险分为技术、资金、设计、支撑体系、成本与进度、外部因素等六类，并提出了基于效用函数（曲线）的风险评估模型。博哥曼和福兹等人在对高新技术产品认定和评价方法的研究中从系统综合评价角度，提出高新技术产品定量认定与评价法——多目标决策评价法和模糊综合评价法。美国亚拉巴马大学的索德博士于1993年开发了一种多维风险评价方法——风险金字塔来评估高技术风险，并应用于美国太空总署设计的一种商用载人太空舱。

夏普先生在1994年编写的《风险投资》中提出了财务指标评价法，将敏感性分析用于项目风险评价中。这种方法可以确定各种风险因素对利润等经济指标的影响程度，便于重点控制，但它只能对单一指标定量分析，忽视了技术创新项目中各种风险因素的相关性，具有很大的局限性。

二、国内技术创新项目评价研究动态

我国关于技术创新的研究始于20世纪70年代末期。80年代中后期，我国经济管理学界和科技界开始探讨当时有计划的商品经济条件下的技术创新理论、战略和政策。目前已展开研究工作并取得初步成果的研究领域主要有：技术创新的动力机制、企业技术创新及其政策与环境、高新技术发展战略、高新技术商品化和产业化、高新技术产业园区的建设等。

1. 技术创新项目评价指标体系

清华大学的高建先生在国家自然科学基金重大项目《中国技术创新理论研究》和原国家教委高等学校博士点科研基金项目《技术创新的测度研究》的基础上，出版了科研专著《中国企业技术创新分析》。在该专著中，作者重点研究了技术创新的测度框架和指标体系，其中，测度框架由创新投入测度、创新实施测度、创新产出测度和非过程因素测度四部分构成，测度指标体系则是由分别属于这四部分的上百项测度指标构成。在此基础上，作者进一步探讨了增强技术创新主动性、企业技术创新的主体化和技术创新能力分析三个改善我国企业技术创新的关键问题，提出了企业技术创新能力由创新资源投入能力、创新管理能力、创新倾向、R&D能力、制造能力和营销能力构成，评价企业技术创新能力的指标体系则由创新能力要素指标和创新产出能力指标构成等具有"开创性"的见解。同时，作者还给出了由19个统计数据指标和9个经验数据指标构成的共28个指标的评价指标体系，并将其应用于产业之间和区域之间企业群体技术创新能力评价的实证研究。

清华大学宋逢明和陈涛在承担自然科学基金重大项目的基础上完成的课题《高科技投资项目评价指标体系的研究》，从我国高科技开发机构和生产单位相分离的特点出发，将高科技投资项目在划分阶段特性的基础上进行评估，即从开发阶段的"项目特性"和生产阶段的"企业能力"入手，采用层次分析法对这两个特性进行了三级指标分解研究，但在该评价指标体系中指标的构成和部分指标的内容上还存在着一定的缺陷。

吴贵生先生在主持国家自然基金项目《企业技术管理的理论框架和若干理论方法研究》中，对技术创新管理的内容体系进行了系统的研究与探索，并著有《技术创新管理》。该专著系统介绍了企业技术创新管理的理论和方法，提出了一个项目评价检核表（见表1.1），对技术创新战略、技术选择、研究与开发、新产品的生产和营销、技术转移与交易、技术信息与知识产权、技术创新能力建设和组织管理进行了全面研究。该专著从技术方面、经济方面、风险方面对创新技术进行评价，但在评价方法和内容上存在一些不足，例如在风险评价方面没有考虑政策因素和企业素质等因素的影响。

王威、高长元等的《高新技术产品认定与评价方法的比较研究》和刘希宋、曹霞等的《风险投资及投资风险评价》，从产品开发的角度各自建立了一套评价风险投资的指标体系，并给出了相应的评价方法。

表1.1 技术项目评价检核表
Table1.1 Evaluation Check Table of Technology Project

类　　别	具　体　内　容
企业目标、战略、政策	与企业现行战略和长期计划是否一致 项目潜力是否达到值得改变现行的战略 与企业形象是否一致 与企业对风险的态度是否一致 与企业对创新的态度是否一致 是否满足企业对时间（进度）的要求

市场	是否满足清楚定义的市场需要 预计的市场总体大小 预计的市场份额 预计的产品寿命 商业成功可能性 销量估计（在2~5条的基础上） 销售期（时间跨度）与销售计划的关系 对现有产品的影响 定价和顾客可接受性 竞争地位 与现有销售渠道相容性 预计的市场开发成本 受竞争者攻击的难易程度 与现有支撑体系（基础设施）的相容性
研究开发	与企业R&D战略是否一致 项目潜力是否达到足以改变R&D战略 技术成功可能性 开发成本与时间 （获得）专利地位 R&D资源可得性 产品将来可能的发展及所产生的新技术的未来应用前景 对其他项目的影响 与全部运行体系的相容性 软件可得性
财务	R&D成本：资金和税 生产性投资 营销投资 按进度获得资金可得性 对其他需要资金项目的影响 最大负现金流和盈亏平衡时间 潜在的年效益和获益时间（长度） 期望利润 是否符合企业投资准则
生产	所需新工艺 生产人员（数量、技能）可得性 与现有生产能力相容性 原材料可得性及成本 生产成本 所需的附加设施 生产安全性 产品生产的附加价值
环境与生态	产品和生产过程可能产生的危害 公众的敏感性（对污染等） 现行和预计的法律 对就业的影响 废物回收（循环利用）潜力

在实际应用方面，具有代表性的首推国家科技部现行的国家级重点新产品计划项目所采用的评价指标体系。该评价指标体系的综合评价结果由6类二级指标及其属下总共16个三级基本指标构成，详见表1.2。

该评价指标体系最大的优点是简单且具有一定程度的实用性，但其主要缺点是二级指标分类较为含糊、三级指标数目过少且含义过于泛泛，难以评定级次；同时，该评价指标体系采用纯粹定性的评价方法，

表1.2　国家级重点新产品计划项目的评价指标体系
Table 1.2　Evaluation Target System of Key National New Product Plan Project

指　标　类　别		评　价　等　级				
二　级　指　标	三级（基本）指标	A	B	C	D	E
对我国产业发展和产品结构调整的作用	符合国家产业政策的程度					
	在本行业中的地位					
	对相关产品的带动作用					
技　术　水　平	创新性					
	先进性					
	可靠性					
经济效益与市场前景	销售额规模					
	盈利水平					
	市场需求					
	产品竞争力					
社　会　效　益	促进就业					
	改善环境					
	利用资源					
单位基础条件	技术开发与更新能力					
	生产经营状况					
风　　　险	风险与不确定性					
综合评价结果	A（　）B（　）C（　）D（　）E（　）					

注：根据国家科技部2001年国家级重点新产品计划所采用的评价指标体系整理得出。
表中A、B、C、D、E分别代表最高级、次高级、第三级、第四级、第五级。

没有给出由较低级指标的级次综合出较高级指标级次或分值的综合方法，评价时的主观随意性较大。

2. 技术创新项目风险评价

清华大学傅家骥教授1992年主编的著作《技术创新——中国企业发展之路》，是清华大学承担的国家自然科学基金资助的"八五"重大科研项目"大中型企业技术创新"的科研成果，也是我国经济学界系统论述企业技术创新机制、过程和国家政策的第一部专著。该专著反映了我国在大中型企业技术创新研究、技术创新与技术选择及技术扩散的研究等方面的最新成果，初步探讨了技术创新的理论体系和政府管理问题。该项研究从其研究对象、研究内容和研究方法构成的整个体系来看，基本上沿袭了西方创新经济学的规范方法，由于紧密结合中国这个发展中国家的实际展开创新经济研究，使得该研究带有浓厚的中国特色和较高的使用价值。但由于把企业技术创新作为研究的主题，该项研究并没有对我国技术创新项目管理的评价技术和决策方法进行深入系统的探讨，特别是没有就技术创新项目的技术选择评价和风险评价与决策的理论和方法进行深入系统的研究，仅就高技术创新的机制和风险投资问题以及北京高新技术产业开发试验区高技术创新实践进行了初步探讨和实证研究。关于技术创新的风险评价与决策问题，该项研究采用了效用函数的评价与决策方法。效用函数分析法用于风险分析具有较高的经济理论意义，但其复杂程度和可操作性却限制了该方法在创新实践中的应用，并且该项研究并没有给出一个较为全面系统的评价指标体系与评价的理论和方法。另外，该项研究仅仅是对风险投资的分类、投资方式及现状、融资体系的设计与运营等进行了初步的研究，并没有对高技术创新风险投资决策的定量分析方法和技术进行研究。

吉林工业大学李建华、葛宝山等人在其承担的国家自然基金项目"高技术产业化风险投资的风险评估与防范"和"高技术产业化风险评价的AHP法"中，曾对技术创新项目风险评价的指标体系和方法进行了研究。该项研究提出的创新项目的风险性和风险承担能力概念与人们对风险的通常理解是有所区别的，但在其建立的指标体系中忽视了产品的市场特征指标、市场竞争状况指标、经济效益和社会效益等重要因素，层次分析法构成了该项研究的主要评价方法。

中国台湾国立经济研究所的陈振远先生在其研究课题"创业投资方案评估之策略性分析"中，从风险资本投资的角度建立了一套关于高科技投资项目风险评价的指标体系，将评价指标划分为方案竞争力、企业内部竞争优势、外部环境机会与威胁、经营目标一致性和风险管理等共五个部分，用来评价高科技项目的投资风险。其中，在方案竞争力方面的主要指标包括产品竞争力、市场吸引力和投资获利性；在企业内部竞争优势方面的主要指标是营销能力、生产能力、财务能力、经验管理能力和创业者人格特征；在外部环境机会与威胁方面的主要指标是经济环境和政府法令及奖励；在经营目标一致性方面的主要指标是发展目标配合性和外部协调性；在风险管理方面的主要指标是风险承担能力和投资风险分散。陈振远先生关于高科技投资项目风险评价指标体系的研究，在指标体系五大方面的设计上有其长处，但在具体的评价理论和方法等定量分析方面较为欠缺。

东北大学刘德学和樊冶平的《风险投资的非系统风险的模糊评价方法》，将非系统风险归因于某一投资项目特有的因素或只会对某一投资项目产生影响的特定因素，这些因素只会对特定的投资项目带来损失。在对风险投资项目的风险因素进行分析的基础上，建立了一套涉及市场风险和代理风险两个方面的风险投资项目的非系统风险评价指标体系，针对投资风险的综合评价问题，给出了一种模糊评价方法。

刘德学、樊冶平和王欣荣的《风险投资项目经理素质的主客观评价方法》，依据风险投资公司内部管理的特点和风险投资项目经理的工作职责，提出一种风险投资项目经理素质的主客观评价方法。该方法的特点是：针对评价项目经理的素质问题，分别进行基于主管指标的模糊评价和基于考试成绩的客观评价，并将主观评价结果与客观评价结果进行综合，使最终评价结果反映出主客观信息。

南开大学冯燕奇等的《我国高技术产业化的主成分评价方法》，针对传统的主观赋权评价方法存在明显的缺陷，采用客观赋权的评价方法（即主成分分析法），对我国各地区高技术产业化进程进行综合评价。

吴中志的《高新技术产业化的综合评价方法》，根据国际组织对高新技术产业的界定与评价方法，将医药制造业、航空航天制造业、计算机与办公设备制造业、电子与通信制造业、电气机械及设备制造业五大产业作为我国高新技术产业的研究对象。依据其本质特征和演变过程，构造高新技术产业化的评价指标体系，并在此基础上建立综合评价模型，对我国高新技术产业化水平进行整体评价。其指标体系由科技投入、科技成果、体制改革、发展环境、成果转化、规模经济和经济效益等七大类18个指标组成。

吴隽、薛立的《灰色评价方法在电子商务经济增长中的应用研究》，结合我国电子商务发展现状，根据灰色系统理论，提出了一种定性分析和定量分析相结合的经济增长评价方法——递阶多层次灰色评价方法。并将评价指标分为三个层次七类指标：信息流、资金流、物资流、国际环境、市场与法律、人文环境和商务运行环境。

中国人民大学成其谦、汪虹昱的《企业技术创新能力测度和评价方法》和王娴、蒋洪强的《企业技术创新能力分析及其评价方法研究》，是将企业的技术创新能力作为研究对象，应用多层次模糊综合评判模型测度和评价企业技术创新能力，并以工业企业为例，分别进行了分析评价和指标体系的构造。前者选取了15项指标，划分为四大类，依次为创新资源投入能力、研究开发能力、创新频度和产品、技术竞争能力。后者阐述了企业技术创新能力的概念、构成要素，并从市场、技术、管理三个方面33个指标对企业创新能力进行分析评价，建立了各方面的评价指标体系及综合分析模型。

张义珍、杨少梅的《农业高新技术投资项目综合评价方法初探》结合农业高新技术投资重要性及项目评价中存在问题的分析，探讨了农业高新技术投资项目的综合评价方法。该方法以经济效益、社会效益、生态效益及技术效益四个方面13个指标为基础，分级确定了各指标的权重，并建立了综合评价模型。

李晓的《农业技术创新系统综合实力评价方法的研究》，以农业技术创新系统的综合实力测评为切入点，在中国农业学术水平计量分析与预测研究的基础上，从部分产出水平的测评扩展到对整体性投入活动和产出水平的综合测评，探讨指标体系、权重参数和模型方法。

北京理工大学骆珣、秦丽对技术创新项目评价选择中应用层次分析法进行研究。武汉大学管理学院的徐绪松、单朝阳构造了模糊综合评价模型，其中采用专家评分法衡量被评价项目在指标上的表现及因此而可能引起的相关风险的大小，并引入层次分析法确定主因素层与子因素层各指标的权重。吉林大学的周乃敏在给技术风险投资公司推荐的评价系统研究中，从技术、生产、市场、金融和政策五方面设置了17个指标的风险评价子系统，并采用层次分析法确定评价指标的权重。

此外，国内诸多学者在关于技术创新项目的风险种类方面均有建树和成果。南京理工大学的周明伟认为主要存在以下几种风险：技术风险、市场风险、财务风险和管理风险。天津大学管理学院的李秉光等认为技术风险投资在发展过程中，主要存在技术、市场、经营管理、人员、政策、财务、泄密等风险。燕山大学经济管理学院的藏秀清从科技成果转化的角度把科技成果转化风险划分为技术不成熟性风险、投资分析风险、市场风险、社会风险、购买力风险和财务风险六类，并认为其中影响最大的是前三种风险。

三、对国内外相关研究的评价

1. 对国内外技术创新项目评价技术方法研究的评价

从国内外研究的情况看，在技术创新项目评价方法的研究方面，近年来研究成果不少，采用的方法也各有千秋，主要有：模糊综合评价法、人工神经网络评价法、主成分分析法和数据包络分析法（即DEA法）。但是，各种评价方法有它的产生背景，它们的应用领域都有其局限性，也有其特殊性。

模糊综合评价法。1965年，美国自动控制论教授L.A.Zadeh发表了《模糊集合论》，提出了"隶属函数"的概念，模糊数学由此发展起来。模糊综合评价是模糊数学的一个应用方向，始于20世纪80年代后期。模糊综合评价法的评价对象一般为单个事物，主要借助于被评价对象的指标集到评价集上的模糊映射进行评价。模糊综合评价的结果能给出评价对象属于不同评价类的隶属度，决策者可以按最大隶属原则进行决策。其评价过程从权重的取得到指标隶属矩阵的取得，大量应用了人的主观判断，因此模糊综合评价是一种基于主观信息的综合评价方法。当样本数据难以取得或具有固定专家评审团，专家的评判具有一致性时，采用模糊综合评价法是一种较好的评价方法。

人工神经网络评价法。人工神经网络评价法主要借助于BP网络模型，BP网络模型是一个含有输入层、隐含层、输出层的多层网络模型结构，它是美国加州大学的鲁梅尔哈特和麦克莱兰在研究并行分布式信息处理方法、探索人类认知微结构的过程中，于1985年提出来的。人工神经网络评价的对象也是单一对象。人工神经网络是一种交互式的评价方法，它可以根据用户期望的输出不断修改指标的权重，直到用户满意为止。它主要克服了模糊综合评价中指标权重依据主观方法取得的缺陷，因此，一般来说人工神经网络评价方法得到的结果会更符合实际情况。但是，人工神经网络评价的缺陷是需要的训练样本数据较多，这在实际中是不容易做到的，另外，网络收敛速度慢也极大地影响着评价工作的效率。

主成分分析法。主成分分析法是1933年Hotelling在研究多指标评价问题中提出来的，它是将多个指标（这些指标之间可能存在相关关系）通过适当的组合，转化为少数几个互不相关的指标，而这少数几个指标包含了原有指标的大部分信息，以达到降维、简化问题的目的。主成分分析评价的对象一般为多个对象，因此它是一种相对性比较评价，这种相对性比较既可以是纵向比较，也可以是横向比较。主成分分析法主要基于指标的客观数据进行评价，其优点是：第一，消除了指标之间的相关影响；第二，完全基于指标的客观信息进行评价，消除了人为因素的影响；第三，减少了指标选择的工作量。对于其他评价方法，一般要求指标之间不相关，这给实际应用中选择指标带来了困难，而主成分分析法本身可以消除指标之间的相关关系，因此，对原始指标并没有过多的要求；第四，计算简单，操作易行。由此，如果指标的准确数据较易取得，主成分分析法不失为一种好的评价方法。

由上述分析可以看出，将模糊综合评价法、人工神经网络评价法和主成分分析法用于企业技术创新项目评价仍存在着一些不足：

（1）研究在整体上缺乏系统性，研究对象、研究内容、研究方法和研究成果过于繁杂与分散，缺乏必要的整合，尚未形成一个公认的完整而明确的技术创新项目投资前的系统科学评价体系和程序。

（2）在技术创新指标的评价和测度方面，更多的研究成果集中在产业层面，而且测度的结果一般只能说明某一时期技术创新活动的水平，而不能针对具体的技术创新投资项目在其投资决策之前，给出具有参考价值的评价结论，更不能服务于具体的技术创新项目的投资决策。

（3）在技术创新项目风险评价因素的选择上考虑的并不全面，研究的重点局限于寻找影响技术创新项目投资成败的基本要素。

（4）针对技术创新活动具有多目标、多层次、多元素和不确定性的特点，现有的技术创新项目评价方法已不能满足理论研究与实际工作的需要，需要寻找更新、更科学实用的方法。

目前，在数据包络分析（DEA）方法的研究上取得了较为长足的进步。DEA方法是1978年提出的、用于评价部门间相对有效性的一种评价方法。该评价方法是从投入与产出的角度去评价同类型的企业或部门在生产效率方面的相对有效性，其评价对象（被称为决策单元）为多个。DEA模型是把每一个评价对象看成一个具有"多个输入，多个输出"的生产系统，通过观察系统的输入和输出来评价生产系统的相对效率的。DEA评价模型是多个部门或多个企业之间进行相对有效性评价的一种方法，其特点是适合于处理具有多个输入和多个输出的情况，并且完全基于指标数据的客观信息进行评价，剔除了人为因素带来的误差。其结果不仅能判断被评价决策单元的生产效率相对有效性，而且对于非有效的决策单元，还给出了调整改进的方向。其缺点是对于相对有效的决策单元不能给出一个排序，因为在一次评价中，通常有多个企业是相对有效的，也有多个企业是相对非有效的，而同样是相对有效的企业可能在投入和产出上相差甚远。因此，如果仅是考虑投入规模和技术因素，从宏观上来评价部门或企业，则可采用DEA评价方法。

正是出于这种认识，本书将主要运用DEA的理论和方法，致力于技术创新项目投资前的技术创新能力、技术选择、技术创新项目风险的评价以及投资决策方法的研究。研究的重点将放在对传统DEA模型的改造上，以期通过新型DEA模型及其方法的构建，克服DEA模型的缺陷，使其在技术创新项目评价中充分发挥作用。

2. 对国内外投资决策理论与方法研究的评价

20世纪80年代末期，我国开始了对技术创新项目评价与优化方面的理论研究，现已形成一套比较完整的投资决策的理论与方法体系。但是，在理论方法研究上始终存在着以下几方面的问题：

（1）片面地强调"可行性研究"基本理论中对"可行性"的重视，忽视了决策中的优化理论与方法的研究。

（2）目前使用的投资项目决策优化的数学模型，通常具有以下优点：①能够用于描述与求解大规模复杂系统的投资优化问题，并可对大量的投资方案进行比较和选优，当系统的环境和约束条件发生变化，可以重新修改模型，重新描述内外部条件变化对系统行为的影响，并可借助计算机在较短时间内求得新的优化结果；②能够把时间和空间上众多的因素纳入系统进行综合性的考虑和分析，从而在一定程度上避免了分析的片面性，能够在模型设计的范围内较为充分地反映对象系统的综合经济效益；③如果模型设计得当，一般能用于模拟系统在较长时间内的运行特性，为决策分析提供更多的参考信息，这方面尤以动态规划模型见长；④广泛利用计算机软件技术进行模型求解，既提高了工作效率，又提高了计算结果的准确性。

同时，这些模型也不可避免地存在一定程度的局限性，主要表现为：①这些模型一般都具有规模大、变量多的特点，往往需要借助于计算机来计算求解，占用内存大、耗用机时长、计算费用昂贵，有时因模型过于复杂甚至使计算求解成为不可能；②建立和求解模型所需数据资料的搜集整理工作任务量大，可资利用的统计资料缺乏，可靠性较差，在一定程度上限制了这些模型的应用效果。

第三节 本书的总体思路、主要内容和研究方法

一、本书的总体思路

本书的研究首先概括界定技术创新项目等相关概念，从我国国情出发，构建我国企业技术创新项目评价与决策理论体系。在已有理论基础上，运用DEA方法，建立技术创新项目评价模型，分别从企业创新能

力、项目技术选择及项目风险三个方面进行评价；运用模糊综合评价法对上述三个方面的评价结果进行综合分析。并将多目标决策法、熵值法和DEA法相结合，从投资经济性角度对技术创新项目再次进行评价，在投资总量一定的条件下，进行最优投资项目决策与确定。

二、本书的主要内容

技术创新项目的成功，迫切地需要一整套科学实用的评价与决策方法和技术。本书的研究以此为出发点，建立了一种基于数据包络分析（DEA）理论的企业技术创新项目评价与决策的理论和方法。

本书在系统综述技术创新项目评价与决策的理论方法和相关研究成果的基础上，根据一般与特殊的关系进行了以下研究：

第一，从企业层面上对技术创新项目进行准确的界定，并在此基础上提出了企业技术创新项目评价与决策体系的基本理论内容。

第二，在深入研究传统技术创新项目评价方法的基础上，根据系统的观点，运用DEA方法，重点研究企业创新能力评价模型、企业技术创新项目技术评价模型和风险评价方法，并对其进行综合评判。

第三，针对技术创新项目投资决策中存在着大量的不确定性，运用DEA的基本原理，将多目标决策法、熵值法等方法和DEA法相结合，确保企业技术创新项目投资决策的准确性和精确度。

三、本书的研究方法

1. 定量分析与定性分析相结合

在研究过程中，通过运用DEA方法和熵值法等多种数学理论和方法确定技术创新项目的评价模型，实现对项目评价与决策的科学化、全面化、系统化；同时，采用定性分析的方法研究关于企业技术创新项目的原理性、概念性问题。

2. 系统性研究与重点性研究相结合

在研究过程中，强调系统观点的采用，保证研究内容的全面性和完整性，这在技术创新项目评价模型和决策方法的研究中得到充分体现；同时，在对技术创新项目进行评价和决策过程中，有针对性地建立起不确定型DEA模型，确保重点突出。

3. 理论方法创新，兼顾评价模型的实用性

对技术创新项目评价决策理论方法进行创新是本书的核心。本书在研究过程中，为克服以往评价理论和方法的缺点和不足，大胆引入新的理论方法——DEA法，以增强评价结果的客观性和准确性，提高本书研究的有效性和对实践的指导作用。

第二章 企业技术创新项目评价与决策相关理论综述

第一节 企业技术创新理论

一、技术创新的企业主体性

《中共中央国务院关于加强技术创新，发展高科技，实现产业化的决定》将技术创新定义为："技术创新是指企业应用创新的知识和新技术、新工艺，采用新的生产方式和经营管理模式，提高产品质量，开发生产新的产品，提供新的服务，占据市场并实现市场价值。"这一定义较全面地表述了技术创新的含义，清楚地说明了技术创新是一个科技、经济一体化的过程，强调了技术创新的最终目的是知识、技术的商业应用和新产品的市场成功。

技术创新的主体是企业。技术创新只有在企业内完成并通过市场来实现。技术创新是一项与市场密切联系的经济活动，要求创新主体也必然与市场密切联系。另外，企业作为技术创新的主体可以使科技成果密切联系企业生产的实际情况。我国传统的"科研院所主导型"技术创新体系已不能适应市场经济体制的需要，其存在着以下问题：（1）在观念上，企业认为技术创新是科研机构的事情，缺乏技术创新的动力；

（2）在行为上，许多企业不愿增加对技术创新的投资；（3）在创新成果的转让上，转让成本和费用较高，不利于企业利用新技术进行技术改造。在发达国家，企业在技术创新中的主体地位早已确立。1998年，美国企业研发经费支出1633.3亿美元，占当年全美研发经费总量的近3/4，同年，我国企业研发经费支出为247亿元人民币，仅占研发经费总量的44.8%。可喜的是，国内企业开始不同程度地加大了研发经费投入，研发经费投入低下和企业投入缺位的问题在东部地区已开始得到解决，企业已逐渐成为经费投入和技术创新的主体，能够有效地增强核心能力和市场竞争力。

根据一些技术创新成功企业的经验，开展技术创新，企业应具备以下条件：

第一，企业领导者应具有战略眼光，思想观念要创新，要真正树立起自己是技术创新主体的意识；

第二，企业领导的市场观念强、能紧跟市场；

第三，企业具有精简、高效的组织机构；

第四，企业要建立有效的激励机制。

二、技术创新促进企业发展的机理

把企业当做一个由投资要素和产出要素构成的系统，那么无论投入要素发生量的改变还是质的变化都将引起产出组成的改变。这种变动如果用动态方法进行分析，则可以得出如图2.1所示的投入要素、产出要素和技术随时间变化的情况。在此，投入要素的组合方式取决于技术状态T。

用熊彼特的创新理论来解释这个过程就是在t时期，企业在技术状态T_t的前提下，形成了一种生产函数$Y_t = f_{T_t}(L_t, K_t, R_t)$。如果企业不进行技术创新，即不将一种从来没有过的关于生产要素和生产条件的新组合

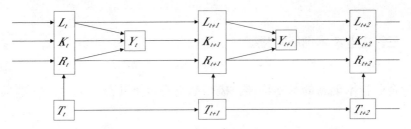

注：L_t—劳动，K_t—资本，R_t—土地，T_t—技术状态，Y_t—产出

图2.1 企业投入、产出、技术随时间的变化

Figure2.1 Imput, Output and Techniques of Enterprise Varying With Time

引入到企业生产中，那么，企业将按原有的生产结构从事其生产经营活动。在这种情况下，企业的生产过程"循环流转"，没有变动，也没有发展。企业的盈利水平及要素生产率保持不变。此时，企业处于一种静态均衡，即T_t不变。在这种静态均衡状态下，企业的生产可以用固定的生产函数来描述。

企业要想适应变化的市场需求，实现其不同时期的战略目标，最终获得较高的利润，就必须进行技术创新，即必须改变生产函数中的T_t，以破坏现存的平衡，产生新的生产函数，这种过程可以用图2.2表示。

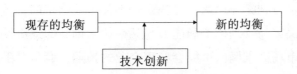

图2.2 新均衡的形成过程

Figure2.2 Forming Process of New-Equilibrium

企业通过这种循环创新过程，就可将多种新产品或多种新的企业管理方法逐步引入到企业生产经营活动中，从而建立新的生产函数$Y_{t+1}=f_{Tt+1}(L_{t+1}, K_{t+1}, R_{t+1})$，实现新的投入组合，使企业能够在更高的层次上得到发展。

三、企业技术创新的特征

企业技术创新的基本特征，概括起来有以下几点：

1.高风险性

高风险性是技术创新内在的固有性质。技术创新活动是带有试验性质的，其中各个阶段与环节都包含着许多不稳定的因素，从而使技术创新活动呈现出高风险性。世界各国的技术创新实践表明，创新失败的概率往往大于成功的概率。即使是工业发达国家，技术创新项目在进入市场之前，夭折的比例远远高于成功的比例。大量的实证研究表明，技术创新是一项具有高失败性的活动，大约90%的创新在进入市场之前即告夭折。依据日本科学技术与经济会的统计，日本企业技术创新项目在技术阶段失败率为85.5%，生产阶段失败率为37.5%，市场阶段失败率为11.4%；依据对美国技术创新投资项目的统计，其成功率也只有10%~20%。技术创新的高风险性来自于创新的不确定性，它主要表现在以下三方面：其一，一项新产品或新工艺在计划时间内能否开发成功，新技术的突破能进行到哪一层次，这些都是不能事先确定的；其二，企业文化、企业的决策与管理模式和能力与某一技术创新的适应性也是不确定的；其三，市场需求倾向可能会背离企业的预期，竞争对手的行为可能会改变市场环境。

2.资产性

技术创新作为一种科技开发与生产经营活动相互渗透的交叉性实践活动，不管其层次规模如何，都需要一定数量资金的投入，用于添置、更新改造设备和设施，购买原材料等，否则，难以实现预期的目标。从这个角度来讲，技术创新是具有资产性的。并且，在技术创新过程中资产的投入是随着技术创新的不断深入而增加的。因此，尽可能早地中止注定失败的技术创新项目可以避免创新资源的极大浪费。

3.高收益性

经济活动中，高风险与高收益总是同时存在。据有关资料显示，技术创新活动如果有20%左右的成功率就可以收回技术创新的全部投入并取得相应的利润。原因在于，新技术的投入，造成了创新企业相对于竞争对手在技术上的优势，形成了一定时期的技术垄断。这种优势或垄断的经济实现，表现为高效益，在扣除创新技术成本之后，形成高额垄断利润。正是这种利润的存在驱使众多企业不惜以高投入从事创新活动，取得技术优势和市场优势，以维持企业的生存和发展。

4.系统性

技术创新是涉及研发、生产、管理、市场等方面一系列过程的综合活动，是一个系统工程。技术创新不等同于标新立异，它源于市场分析又以获取更大的经济效益和市场份额为最终目标，是一个完整的系统工程。

5.周期性

技术创新的周期性特征十分显著，从发明创造到技术创新的转化周期，从创新设想到实现商业化的开发周期，从技术创新进入市场到退出市场的生命周期，以及技术创新被广泛采用、模仿的扩散周期。可见，技术创新是一个符合环状链式的发展过程。技术创新依次经过发明到市场实现的各个环节以后，会根据市场的需求，开拓一轮新的创新，形成螺旋上升的连锁创新。这些均说明技术创新是一个具有明显周期性的过程。

6.大协调性

技术创新不仅涉及企业内部的研究、开发、经营、销售，而且还涉及社会条件、市场状况和许多政策因素，它是包容技术、经济、社会三大类因素的复杂系统工程，因而技术创新活动具有技术创新行为与创新者素质、企业内部状态和外部相关环境间相互适应的大协调特点。技术创新的大协调性主要表现在：①企业与研究单位建立良好的合作关系；②创新项目执行过程中企业各部门之间的协调一致，通力合作；③企业与用户建立的密切联系；④企业与客观社会环境之间的协调等。

四、企业的技术创新类型

根据不同的研究目的，企业的技术创新类型主要有以下几种：

1.以技术创新的内容为标准

按照技术创新的内容不同，技术创新可以分为产品创新、工艺创新、服务创新和组织创新等。

2.以技术创新的重要性程度为标准

按照技术创新在经济增长和经济转换过程中的作用，可以将其分为渐进性创新、根本性创新、技术系统的变革、技术经济模式的变更。

渐进性创新是一种技术上渐进的、改进性的创新，主要依靠需求压力和技术机会持续不断地推动技术发展的创新活动。我们通常所说的技术革新多属于渐进性工艺创新，而渐进性产品创新是对现有产品进行改进，使其性能得到显著的增强或提高的创新。渐进性创新虽不能明显地改变经济动力机制，但它常常伴随着企业和设备规模的扩大以及产品和服务质量的改进，对生产率增长和经济发展具有巨大的影响。

根本性创新是指在技术设想上有根本性的突破，一般是企业的研发部门经过深思熟虑的研究和开发活动的结果。它需要以渐进性创新为基础，通过逐渐积累的渐进性创新和扩散才能真正实现，并常伴有产品创新、工艺创新和组织创新的连锁反应，可在一段时间内引起产业结构的变化。

技术系统的变革是指依据渐进性创新和根本性创新的某种组合，伴随着对企业产生影响的组织创新和管理创新，影响若干经济领域，导致全新部门出现的创新。它不是一项单独的创新，而是由众多技术上相关的创新组成的创新群。这类创新对经济系统有着较为普遍的影响，能改善多个部门的生产条件和生产方式，甚至能创造出全新的生产技术部门。

技术经济模式的变更是指能够带来技术经济规范的变化、意义深远的重大技术创新。它既伴随着许多根本性的技术创新群，又包含着多个技术系统的变革，是相互关联的产品和工艺创新、组织创新和管理创新的结合，是技术优势和经济优势的一种新组合。它的实现不仅会对整个经济行为产生重大影响，而且会引发组织和社会方面的深刻变革，甚至影响到人们的日常生活；它的兴衰表现为经济周期的演变。

3.以技术来源为标准

按照技术来源可分为自主创新和引进创新。

自主创新是指企业依靠自己的技术力量，致力于率先使重要的新技术商品化。这并不意味着创新过程中的各个环节都要由自己来实现，而是创新的思想来源于自己，创新中各要素的组合自主实现。它可以是自己研究与开发的结果，也可以是合作研究、委托研究，甚至是购买专利进一步开发等。企业进行自主创新的前提是具有较雄厚的技术力量，特别是研究与开发的力量，并具有较多的技术积累。企业若想在竞争中取得领先地位，必须采用自主创新的方式。

引进创新是指企业对引进的技术和产品进行消化、吸收和再创新的过程。它包含着渐进性创新和对原设计的不断改进，不同于简单的模仿。由于引进创新主要通过学习和借鉴自主创新的经验，在市场上以更廉价、更优质或更具特色的产品或服务获得经济利益，因而从经济学的观点看，这是一种更有效的创新，多数企业采用这种创新方式。

4.我国学者的特殊分类方法

我国学者傅家骥根据中国的实际情况，将企业技术创新分为四类：增量型创新、技术开发型创新、市场开发型创新和根本性创新。我国学者远德玉、王海山认为，目前所有关于技术创新类型的划分，由于分类标准的不一致，使得不同技术创新类型的划分显得杂乱、重叠、层次模糊。因此，有必要从不同角度，按照明确的分类标准，对技术创新进行类型学结构分析。于是，他们提出了"企业技术创新的类型结构"，见表2.1。

表2.1　企业技术创新的类型结构
Table2.1 Types and Structure of Enterprise Technological Innovation

序号	分类标准	创新类型
1	创新的技术形态和内容	产品创新 工艺创新
2	创新的内在发生机制和独创性程度	基本技术创新 渐进技术创新
3	创新的来源和技术途径	自主技术创新 引进技术创新 国内技术转让创新 模仿改进创新
4	创新活动的组织机制和活动方式	独立性创新 合作性创新
5	创新进入生产过程对生产要素组合的影响	资本节约型技术创新 劳动节约型技术创新 中性型技术创新

我国学者陈文华教授在总结国内外学者技术创新分类的基础上，提出了更详细的分类体系，见表2.2。

表2.2 企业技术创新的类别构成
Table2.2 The Category Form of Enterprise Technological Innovation

序号	分 类 标 准	创 新 类 型
1	创新内容	意识创新 技术性创新 市场营销创新 制度创新 组织管理创新
2	技术形态	产品创新 工艺创新 设备创新 材料创新 服务创新
3	创新程度	基本技术创新 渐进技术创新 模仿技术创新
4	创新的技术来源	自主技术创新 引进技术创新
5	创新活动方式	独立型创新 合作型创新
6	创新对生产要素组合的影响	资本节约型技术创新 劳动节约型技术创新 中性型技术创新
7	当代技术创新的整合特征	技术性整合创新 结构性整合创新 功能性整合创新

此外，我国学者潘承华、吴晓波等人根据企业在技术创新的不同发展阶段所采取的方式，将企业技术创新分为模仿创新、二次创新、合作创新和自主创新等四种类型等。

五、影响我国企业技术创新的主要因素

影响我国企业技术创新的主要因素有：

1.市场竞争压力大，造成企业技术创新较难获得市场成功

企业将创新产品投入到市场的初期阶段，就面临国际市场强大的竞争压力，获利较为困难，这影响了企业技术创新的持续进行。

2.企业信息搜集和加工能力较弱

企业技术创新的过程也是企业不断消除不确定性信息和克服忽略信息的过程（Daghfous and White，1994）。企业在技术创新过程中应当尽可能搜集全面的信息，并用科学的方法对信息进行处理和分析，这些有助于企业技术创新的成功。国内企业在技术创新过程中，相对国外领先水平企业而言，不但信息搜集的量相对国际领先企业不足，而且对有关技术创新信息的处理和加工的深度不够。这就增加了技术创新过程的盲目性，阻碍了技术创新过程的顺利进行。企业有关技术创新的信息搜集是企业的学习过程，企业在向其所处的创新网络获取知识和信息的能力，与企业本身的技术水平密切相关。除企业自身研究开发能力外，政府政策不是以企业为导向，也是造成国内企业信息搜集和分析能力较差的原因之一。总之，不注重信息的分析和处理，将进一步削弱企业技术创新能力。

3.技术差距过大影响企业市场开拓

企业的技术水平与国际领先水平差距过大，就会造成技术创新过程中信息获取和分析的能力减弱，企业占领和开拓市场的速度就会大幅下降。

4.生产规模较小影响企业技术创新能力

企业由于生产规模小，设备供应商不愿为其提供特殊规格的设备，这样就造成企业得不到技术先进的设备，只能获得市场上已有的设备。企业即使进行了详细的信息搜集和分析，但在技术创新过程中由于无法

购置到所需要的设备，不能通过差异化的设备生产差异化的产品，也就不能通过差异化创造企业的核心竞争能力。

第二节 项目评价理论

项目评价技术与方法是人们在进行各种项目论证与评价中所使用的原理、程序、方法和工具的总称。它是在20世纪70年代末期伴随着项目可行性研究方法引进到我国来的。至今，国内外对这套方法仍然有许多不同的名称和说法，如项目评估（Project Assessment）、项目评价（Project Evaluation）或项目评审（Project Appraisal）、项目审查（Project Review）或者项目可行性研究（Project Feasibility Study）等。本书采用了项目评价这一名称。

项目评价理论和方法的核心与实质就是对于不同项目的一整套科学的论证、评审、分析与评价的方法。在我国，项目评价甚至有专门的规定，以便指导人们对关系国计民生的重大项目进行涉及企业和国家两个方面利益和成本等的全面论证、评价和审查，从而作出科学的项目决策。本书仅从企业层面出发，研究企业技术创新项目的评价与决策问题。

一、项目评价的基本概念

1. 项目的内涵

关于项目的含义，目前还没有统一的定义，不同的组织、不同的专家学者在不同的角度对项目有不同的认识。美国项目管理权威机构项目管理协会（PMI，Project Management Institute）认为，项目是一种被承办的旨在创造某种独特产品或服务的临时性工作。世界银行认为，所谓项目，一般是指同一性质的投资，或同一部门内一系列有关或相同的投资，或不同部门内的一系列投资。德国DIN 69901认为，项目是指具有预定的目标，具有时间、财务、人力和其他限制条件，具有专门的组织而实施的唯一性任务。有的专家学者认为，项目是为了达到特定目标而调集到一起的资源组合。还有人认为，项目是由一些独特的、复杂的和相关的活动所组成的一个序列，它有一个必须在特定时间内、在预算之内根据规范完成的目的或目标。

综上所述，所谓项目，就是具有一定时间、费用和技术性能目标、非日常性、非重复性的任务。也就是说，项目是要在一定时间里，在预算规定范围内，由一定的组织完成的，并达到预定质量水平的一项一次性任务。

作为运用各种资源以达成特定目标的一种复杂的系统工程活动，项目通常具备如下特征：

（1）项目实施的一次性和非重复性

项目都是有始有终的，它们都有自己的开始与结束日期，即项目时间长短的限制。所以，项目都是一次性的，有投入也有产出，不是简单的重复。

（2）项目目标的明确性

可以说项目都是目标导向的，任何一个项目都是为实现组织的某些既定目标服务的，这些目标可以是经济的、技术的或者是竞争方面的。目标是具体的、可检查的，实现目标的措施也是明确的、可操作的。

（3）项目组织的整体性

项目通常由若干相对独立的子项目或工作组成，这些子项目或工作包含若干具有逻辑顺序关系的工作单元，各工作单元构成子项目或工作子系统，而各相互制约和相互依存的子系统共同构成了完整的项目系统。这一特点表明，对项目进行有效管理，必须采用系统管理的思想和技术方法。

（4）项目的多目标性

尽管项目的任务是明确的，但项目的具体目标，如性能、时间、成本等则是多方面的。这些具体目标既可能是协调的，也可能是不协调的、相互矛盾的。由于项目具体目标的明确性和任务的单一性，要求对项目实施全系统全寿命管理，要力图把多种目标协调起来，实现项目系统优化而不是局部的次优化。

（5）项目的不确定性

项目的独特性和一次性导致项目的不确定性远远高于日常运营。正是由于项目具有较大的不确定性，人们才需要开展项目的论证和评价。项目目标虽然明确，但项目完成后的确切状态却不一定能完全确定，从而使达到这种不完全确定状态的过程本身也经常是不完全确定的。这一特点表明，项目的实施不是一帆风顺的，常常会遇到风险，因此，必须进行项目风险评价和风险管理。

（6）项目资源的有限性

任何一个项目都有各种限制条件，这既包括资源限制条件和环境限制条件，也包括已经确定的限制条件和自行假设的限制条件等。这些条件对于项目的决策和实施造成了很大的限制和制约。

（7）项目的临时性

项目一般要由一支临时组建起来的队伍进行实施和管理，由于项目只在一定时间内存在，参与项目实施和管理的人员是一种临时性的组合，人员和材料设备等之间的组合也是临时性的。项目的临时性对项目的科学管理提出了更高的要求。

（8）项目的开放性

由于项目是由一系列活动或任务所组成的，因此，应将项目理解为一种系统，将项目活动视为一种系统工程活动。绝大多数项目都是一个开放系统，项目的实施要跨越若干部门的界限，这就要求项目经理协调好项目组内外的各种关系，并寻求与项目有关的项目组外人员的大力支持。

正是基于项目所具有的这些基本特性，使得人们在项目决策和项目实施中必须对项目进行深入地分析和研究，从而使项目评价成为项目管理中最为重要和必不可少的内容之一。

2. 项目评价的基本概念

项目评价的概念有狭义与广义之分。狭义的项目评价是指对于一个项目经济特性的评价和审定，即按照给定的项目目标去权衡项目的经济得失并给出相应结论的一种工作。广义的项目评价是指在项目决策与实施活动过程中所开展的一系列分析与评价活动，包括：①项目决策阶段对其必要性、技术可行性、经济合理性、环境可行性和运行条件可行性等方面进行的全面系统的分析与论证工作（目的是为项目决策提供依据）；②在项目实施过程中对项目实施情况和未来发展所进行的跟踪评价（目的是对项目实际进展情况进行监督和跟踪检查）；③在项目完成以后一段时间里，对项目进行的后评价（目的是检验项目前期决策和调整未来项目决策标准和政策）。项目评价具有的基本特征是：

（1）决策支持特性

所有的项目评价都是为项目决策提供支持和服务的，不管是项目前期评价、项目后评价还是项目跟踪评价（它们只是支持的项目决策阶段和内容不同而已）。人们需要借助项目评价所给出的分析研究结果，再加上自己的判断和选择而最终作出项目决策。

（2）比较分析特性

不管是广义的评价还是狭义的评价，任何项目评价都具有比较分析的特性，因为这些评价都需要对项目各种备选方案（包括不开展项目的方案）在各种可能情况下的技术经济投入和结果作出分析，并比较和找出其中相对最优的项目方案，从而对项目决策提供支持。

（3）假设前提特性

在项目评价中所使用的各种项目数据有两种，有一些是项目既定实际情况的描述数据，而有一些是根据项目各种假设前提条件确定的预测数据。不管是项目的前评价和后评价还是项目的跟踪评价，在评价时人们必须对尚未确定下来的各种情况作出必要的假设，然后确定相应的预测数据，并根据它们作出项目评价，所以项目评价具有假设前提的基本特性。

项目评价还有许多其他的特性，如项目评价的时效性（必须及时使用项目评价的结果，过期可能出现失效而不能使用）、项目评价的主观与客观的集成性（主观假设与判断和客观情况与数据的结合）、项目评价的目的性（为项目决策和项目实施提供支持），等等。这些项目评价的特性在很大程度上影响着项目评价的成败。

二、项目评价的作用

项目评价的根本作用是为项目决策和实施提供决策支持的依据。通常情况下，由于项目的独特性、一次性和风险性等特性，项目决策都需要依据项目评价作为支持，因为单纯凭借个人的判断和经验去进行项目决策容易出现错误而且很难避免失误。在项目决策中，运用项目评价方法对项目各个备选方案和各种情况下可能出现的结果进行必要的分析与评价，这对于加强项目决策的科学性和优化项目决策结果以及提高项目实施绩效等方面有着积极和重要的作用。

1.它是项目决策的前提和保证

在项目决策过程中，人们首先必须开展项目评价，任何项目决策都离不开项目评价所给出的各种信息和数据的支持。项目决策的好坏和优化程度都取决于项目评价工作的有无与好坏。确切地说，项目评价所给出的项目备选方案分析、比较数据以及其他各种项目评价的结果都是项目决策的前提和保障。这些不但能够为减少或避免项目决策失误提供保证，而且能够大大改善项目决策优化的结果。

2.它是获得项目融资的凭证和依据

任何项目都需要投资，在很多情况下项目投资的一定比例是融资得到的，而提供项目融资的一方多数都是以项目评价结果作为项目融资的凭证和依据的。因此，绝大多数金融机构在进行项目融资的时候都要求申请融资者提供相应的项目评价文件，并且多数要求自己的工作人员对项目做进一步的评价。现在的各种国际和国内金融组织与机构都设立有自己的项目评价机构，或者是由第三方项目评价机构为自己提供相应评价服务，甚至多数这类组织和机构都规定不经评价的项目融资是不允许的。

3.它是促进和提高项目管理的手段和方法

项目评价所提供的各种信息和数据都是项目业主、投资人或实施者以及供应商等开展项目管理的出发点。他们可以通过项目前评价去预见项目可能出现的情况和变化，通过项目跟踪评价去发现项目实施中的问题和变更，通过项目后评价去找出项目决策中的问题和指导以后的项目管理实践。因此，项目评价是促进项目管理和提高项目效益的基本手段和方法。

4.它是政府管理机构开展宏观经济管理的手段

根据多数国家的投资管理和社会管理部门的规定，超过一定规模的项目就需要由地方或中央政府的主管部门进行有关项目的国民经济评价、项目社会影响评价或者是项目环境影响评价。政府主管部门有权依据这些评价的结果作出批准和不批准项目的决定，以确保整个国民经济的正常运行和整个环境不受破坏。实际上，多数国家的这类政府部门都在使用项目评价作为手段去合理调整和优化投资结构和产业结构，去保护社会和自然环境，去协调企业经济效益与国民经济效益的矛盾。可以说，项目评价也是政府管理机构开展宏观经济管理的一种重要工具和手段。

三、项目评价的原则

科学而正确的项目评价对于加强项目管理、实行项目科学决策和提高项目经济效果等方面起着相当关键的作用。为此在项目评价时必须明确和掌握以下原则：

1.实事求是原则

实事求是是指从实际情况出发找出事物的客观规律。这是一种正确认识客观事物的原则和方法，在项目评价中必须坚持实事求是原则去分析和评价项目和项目备选方案。

在项目评价过程中坚持实事求是的原则意味着要坚持科学态度、采用科学方法和遵循科学规范的程序，只有这样才能进行客观而公正的评价。其中，坚持科学的态度就需要项目评价工作人员深入实际，对项目本身及其各种条件作周密的调查和研究，全面而系统地掌握可靠而充足的项目信息和资料，并进行认真深入的分析与研究。采用科学的方法是指在项目评价过程中必须使用国内外实践证明了的项目评价方法。遵循科学与规范的程序是指项目评价要按照一定的程序进行，以便从过程控制上保障项目评价的实事求是原则。

2.客观公正原则

在项目评价的客观公正原则中，客观是指项目评价要尊重客观实际，不能具有主观随意性，公正是指项目评价者的立场必须公正，在分析和评价中不能够受权威或利益的干扰。在项目评价中坚持客观公正的原则就意味着要尊重事实，出于公心和恪守职业道德。

3.成本效益原则

任何项目的评价都必须从成本和效益两个方面进行全面评价。项目评价必须坚持全面衡量成本和效益的原则、项目效益必须大于项目成本的原则。项目是否可行，最终是以该项目取得的经济效益及其经济效益的高低作为判断标准。

在项目评价过程中需要考虑的项目成本和效益必须涉及微观和宏观两个方面，任何一个项目的评价都必须坚持全面评价项目的微观和宏观成本与效益的原则。其中，微观方面是指项目业主或项目承包商等的成本和效益，而宏观方面是指考虑到整个国民经济的成本和效益。按照我国的要求，如果这两个方面的成本效益评价结果相互矛盾，项目最终的取舍决策应该以宏观的国民经济成本和效益评价为准。

4.系统性原则

系统性原则是指在项目评价过程中，要在成本效益的基础上进一步全面系统地评价项目的各个方面，并进行综合评价，最终给出项目的整体评价。

在项目评价过程中坚持系统性原则意味着评价工作者在考虑评价问题时必须要有系统的观点，即要系统地考虑问题、系统地收集信息、系统地确定评价指标体系和系统地综合评价项目各个方面。

5.比较择优原则

比较择优原则是指项目的评价应该包括对于多个项目备选方案的比较分析和优化选择。项目备选方案的择优包括两个方面的内容：其一，是项目方案本身的不断优化；其二，是各备选方案的比较和优选。在项目评价过程中必须坚持这种比较择优的基本原则，必须提供多个项目备选方案的评估信息和各个项目备选方案优先序列信息。

6.动态评价原则

所谓动态评价原则，包括两个方面：一是指在项目评价中必须考虑项目投资的货币时间价值，二是指项目评价工作本身必须坚持动态滚动的原则。项目评价中坚持动态评价原则还要求随着人们不断获得更多的项目信息和对项目有了更为深刻的认识，人们对于项目的评价也要逐步深化，这样就形成了一种动态的过程。另外，在项目评价中要求联系项目的具体实际，结合项目的特点进行评价。

四、项目评价的基本内容

项目评价的基本内容包括两个不同的分类，其一是涉及项目前评价、跟踪评价和后评价的分类，其二是项目评价中的单项评价和综合评价的分类。前者是按照项目的时间进度划分的、在不同项目阶段开展的项目评价内容，后者是按照项目涉及的主要条件和制约因素划分的、对于不同项目条件和项目情况所作的评价。

1. 不同项目阶段的评价内容

（1）项目前评价的主要内容

项目定义与决策阶段的评价工作称为项目前评价。它是在项目尚未实施之前对项目及其备选方案所进行的综合评价。项目前评价的根本任务是对项目的必要性和可行性进行分析研究。项目前评价的最终目标包括两个，一是分析并确认项目的必要性和可行性，二是给出各种可替代项目备选方案的评价结果和优先序列以供项目决策者选择。项目前评价的关键工作是对项目以及项目各备选方案的经济、技术、运行支持和环境影响等方面进行全面地分析和研究。

（2）项目跟踪评价的主要内容

在项目实施阶段，为了不断地认识项目和项目实施结果，还必须开展项目的跟踪评价。在整个项目的实施过程中，项目的相关利益主体（如项目业主、承包商和国家主管部门等）需要不断对项目本身和项目实施情况进行监控和跟踪评价，这是项目作为独特性和一次性任务的客观规律造成的一种特定要求。因为，随着项目实施的不断推进，项目本身及其环境条件都会发展和变化，这些发展和变化可能会使项目的必要性和可行性发生改变，所以，必须对项目及其环境条件作不断的跟踪评价。

（3）项目后评价的主要内容

项目后评价是在项目实施完毕并运营一段时间之后所作的项目评价，项目后评价的主要内容包括对于项目本身实际情况的评价和对于项目前评价与项目前期决策正确性的评价。这种评价的根本目的是总结经验教训和修订未来项目决策的指标和标准。项目后评价所使用的数据是项目实施的实际数据和从项目后评价时点开始到项目运营期结束的各种预测数据。

2. 项目单项评价和综合评价的内容

（1）项目单项评价的内容

项目单项评价的内容主要包括项目经济评价、项目技术评价、项目运行条件评价、项目环境影响评价和项目风险评价五个方面的内容。

项目经济评价是指对各种经济特性的分析和评价。这又可以分为财务评价和国民经济评价两个方面。

项目的技术评价是项目评价中的一个重要的专项评价。项目的技术评价包括两个方面，一是对于项目本身生产运营技术的可行性和先进性的评价，二是对于项目实施过程中所使用技术的可行性和先进性的评价。

项目运行条件主要是指在项目投入运营以后所面临的各种运行环境和支持条件以及项目在实施过程中的外部支持环境条件等。

项目环境影响评价是指对项目实施和运营给自然环境和社会环境所造成的各种影响的全面评价。通常在项目的环境影响评价中，项目对自然环境的影响评价比较容易，而项目对社会环境的影响评价则比较困难。

项目风险评价是对项目的不确定性及其可能带来的损失的一种全面评价，是项目评价的一个重要组成部分。项目风险评价从对项目存在的各种不确定因素的分析入手，借助分析项目风险事件一旦发生时项目各种评价指标的变化来分析和预测项目主体是否能够承担这些项目风险，最终给出一个项目的风险评价结果，即项目的可靠程度。项目风险评价在很大程度上缩小了主观分析和预测与项目实际情况的偏差，提高项目的抗风险能力和预备好各种项目风险的应变措施，从而消除项目的风险或者使项目风险事件发生时的损失降低到最小程度。

（2）项目综合评价的内容

项目综合评价是对项目各方面专项评价内容所作的汇总性和综合性的全面评价，这种评价可以采用相应的方法对项目专项评价结果进行综合与集成。在项目综合评价中使用最多的是连加性权重法、连乘性权重法和层次分析法等。不管采用哪种方法得出的综合评价结果都是决策者所需的项目决策支持的关键内容。

第三节　数据包络分析（DEA）理论

数据包络分析（Data Envelopment Analysis，以下简记DEA）是由著名的运筹学家A.Charnes和W.W.Cooper等人以相对效率概念为基础发展起来的一种崭新的系统分析方法。数据包络分析自1978年第一个DEA模型——C^2R模型提出至今已有二十多年的历史。

DEA方法是在运用和发展运筹学理论与实践的基础上，逐渐形成的主要依赖于线性规划技术、用于经济定量分析的非参数方法。具体来说，DEA方法是使用数学规划模型比较决策单元（Decision Making Unit，以下简记DMU）之间的相对效率，对决策单元作出评价。确定DMU的主导原则是：就其"耗费的资源"和"生产的产品"来说，每个DMU都可以看做是相同的实体，即在某一视角下，各DMU具有相同的输入和输出。通过输入和输出数据的综合分析，DEA方法可以得出每个DMU综合效率的数量指标。据此将各DMU定级排队，确定有效（即相对效率高）的DMU，并指出DMU非有效的原因和程度，给主管部门提供管理信息。DEA方法还能判断各DMU的投入规模是否适当，并给出各DMU调整投入规模的正确方向和程度。DEA方法把单输入单输出的工程效率的概念推广到了多输入多输出同类决策单元DMU的有效性评价中去，无需事先设定任何权重，能够有效地避免主观因素，大大简化了算法。

DEA方法已经引起了国内外学者的广泛关注，有关的理论研究不断深入，应用领域日益广泛。可以说，DEA方法已经成为管理科学、技术经济分析与评价等领域的一种重要的分析工具和手段。DEA方法作为一种理想的多目标决策方法，能够为项目综合评价拓宽思路，提高项目评价结果的客观性和准确性。

一、数据包络分析（DEA）的基本理论观点

1. 决策单元

一个经济系统或一个生产过程可以看成是一个单元在一定的可能范围内，通过投入一定数量生产要素并产生一定数量的产品的活动，虽然这种活动的具体内容各不相同，但其目的都是尽可能的使这一活动取得最大的效益。由于产出是决策的结果，所以这样的单元被称为决策单元DMU。因此，可以认为每个DMU都代表或表现出一定的经济意义，其基本特点是具有一定的输入和输出，并且在将输入转化成输出的过程中，努力实现自身的决策目标。在DEA方法中，使用较多的是同类型的DMU。

所谓同类型的DMU，是指具有以下三个特征的DMU集合。

（1）具有相同的目标和任务；

（2）具有相同的外部环境；

（3）具有相同的输入和输出指标。

2. 生产可能集

设某个DMU在一项经济活动中的输入向量为$x = (x_1, x_2, \cdots, x_m)^T$,输出向

量为$y=(y_1,y_2,\cdots,y_s)^T$,于是可以简单的用(x,y)来表示这个DMU的整个生产活动。

定义1 称集$T=\{(x,y)\ |\ $产出$y$能用输入$x$生产出来$\}$为所有可能的生产活动构成的生产可能集。

根据实际情况和研究问题方便,一般假设生产可能集满足下面四条公理:

(1)凸性:对任意的$(x,y)\in T$和$(x',y')\in T$,以及$\mu\in[0,1]$,有

$$\mu(x,y)+(1-\mu)(x',\ y')\in T$$

即如果分别以x和x'的μ和$(1-\mu)$倍之和作为新的输入,则可得到原产出相同比例之和的新的产出。凸性表明,T是一个凸集。

(2)锥性:若$(x,y)\in T$且$k\geq0$,则$k(x,y)=(kx,ky)\in T$,这表明若以原输入的k倍为新的输入,则得到原产出的k倍是可能的。

(3)无效性:设$(x,y)\in T$,若$x'\geq x$,则$(x',y)\in T$;若$y'\leq y$,则$(x,y')\in T$,这说明在原来生产活动基础上增加投入或减少产出进行生产总是可能的。

(4)最小性:生产可能集T是满足上述三个条件的所有集合的交集。

在满足四条公理的基础上,对已有观测值(x_j,y_j) $(j=1,2,\cdots,n)$,可得:

$$T=\left\{(x,y)\ \middle|\ k\sum_{j=1}^n\mu_jx_j\leq x,k\sum_{j=1}^n\mu_jy_j\geq y,\mu_j\geq0,\sum\mu_j=1,k\neq0\right\} \tag{2-1}$$

若令$k\mu_j=\lambda_j$ $(j=1,\cdots,n)$,则

$$T=\left\{(x,y)\ \middle|\ \sum_{j=1}^n\lambda_jx_j\leq x,\sum_{j=1}^n\lambda_jy_j\geq y,\lambda_j\geq0\right\} \tag{2-2}$$

3. 生产函数与规模收益

定义2 称集$L(y)=\{x|(x,y)\in T\}$为对于y的输入可能集;称集$P(x)=\{y|(x,y)\in T\}$为对于x的输出可能集,其中T为**生产可能集**。

在生产函数可能集概念的基础上,还有两个有关的概念。

定义3 设 $(x,y) \in T$，如果不存在 $(x,y') \in T$，且 $y \leqslant y'$，则称 (x,y) 为**有效生产活动**。

定义4 对生产可能集 T，所有有效生产活动（点）(x,y) 构成的 R^{n+s} 空间中的超曲面 $y=f(x)$ 称为**生产函数**。

显然，生产函数是在一定的技术条件下，任何一组投入量与最大产出量之间的函数关系，由于生产可能集具有无效性，即允许生产中浪费现象的存在，所以生产函数中 y 是关于 x 的增函数。

增函数的概念仅粗略地反映了产出 y 与投入 x 的相对不减性，但尚未清楚地描述出不减的程度。如果投入增量相对百分比大于产出增量相对百分比，表明投入规模的增加并未获得理想的产出效益；反之，表明产出效益的相对增加大于投入规模的相对增加；如果二者相等，则表明投入与产出规模的相对增加是"同步"的。

二、数据包络分析（DEA）理论的基本模型

1. 数据包络分析（DEA）的基本模型之一 —— C²R模型

C²R模型是一个典型的把直观思路条理化和数学模型化的最基本的DEA模型。

设有 n 个 DMU_j $(1 \leqslant j \leqslant n)$，$DMU_j$ 的输入、输出向量分别为：

$$x_j = (x_{1j}, x_{2j}, \cdots, x_{mj})^T$$

$$y_j = (y_{1j}, y_{2j}, \cdots, y_{sj})^T \qquad j=1,2,\cdots,n$$

由于生产过程中各种输入和输出的地位与作用不同，因此，要对DMU进行评价，需对它的输入和输出进行"综合"，即把它们看作只是一个总体输入和总体输出的生产过程，这样就需要赋予每个输入、输出恰当的权重，于是可以令 x_j 的权重为 v_j，y_k 的权重为 u_k $(1 \leqslant i \leqslant m, 1 \leqslant k \leqslant s)$，则输入和输出的权向量为：

$$v = (v_1, v_2, \cdots, v_m)^T$$

$$u = (u_1, u_2, \cdots, u_s)^T$$

定义5 将下式

$$h_j = \frac{uy_j^T}{vx_j^T} = \frac{\sum\limits_{k=1}^{s} u_k y_{kj}}{\sum\limits_{i=1}^{m} v_i x_{ij}} \qquad j = 1, 2, \cdots, n \qquad (2-3)$$

称为第 j 个决策单元为 DMU_j 的效率评价指数。

在这个定义中，总可以适当的选取 u 和 v，使得 $h_j \leq 1$。精确地说，h_j 越大，表明 DMU_j 能够用相对少的输入而得到相对较多的输出。因此，可以通过考察当尽可能地变化 u 和 v 时 h_j 的最大值来检验 DMU_j 是否为最优。可以构造下面 C²R 模型：

$$\begin{cases} \max \dfrac{\sum\limits_{k=1}^{s} u_k y_{kj_0}}{\sum\limits_{i=1}^{m} v_i x_{ij_0}} = V_P \\[6mm] s.t. \dfrac{\sum\limits_{k=1}^{s} u_k y_{kj}}{\sum\limits_{i=1}^{m} v_i x_{ij}} \leq 1 \qquad j = 1, 2, \cdots, n \\[6mm] u_k \geq 0 \qquad\qquad k = 1, 2, \cdots, s \\[2mm] v_i \geq 0 \qquad\qquad i = 1, 2, \cdots, m \end{cases} \qquad (2-4)$$

这是一个分式规划问题，可以利用 Charnes—Cooper 变换，将分式规划转化成为线性规划。令

$$t = \frac{1}{v^T x_0}, \ \omega = tv, \ \mu = tu \qquad (2-5)$$

则有

$$\mu^T y_0 = \frac{u^T y_0}{v x_0^T}$$

$$\frac{\mu^T y_j}{\omega^T x_j} = \frac{u^T y_j}{v^T x_j} \leqslant 1$$

$$\omega^T x_0 = 1 \tag{2-6}$$

$$\omega \geqslant 0$$

$$\mu \geqslant 0$$

于是可以变成下面的线性模型：

$$\begin{cases} \max \mu^T y_0 = V_P \\ s.t.\ \omega^T x_j - \mu^T y_j \geqslant 0,\ j=1,2,\cdots,n. \\ \omega^T x_0 = 1 \\ \omega \geqslant 0, \mu \geqslant 0 \end{cases} \tag{2-7}$$

下面的定理给出了分式规划模型（2-4）与线性规划模型（2-7）解的相互关系。

定理1　规划模型（2-4）与规划模型（2-7）在下述意义下等价：

（1）若 v^*，u^* 为规划模型（2-4）的解，则 $\omega^* = t^* v^*$，$\mu^* = t^* u^*$ 为规划模型（2-7）的解，并且两个规划模型的最优值相等。

（2）若 ω^*，μ^* 为规划模型（2-7）的解，则 ω^*，μ^* 也是规划模型（2-4）的解，并且两个规划模型的最优值相等。

由于线性规划模型（2-7）可以表示成：

$$\begin{cases} \max\ (\omega^T\ \mu^T) \begin{pmatrix} 0 \\ y_0 \end{pmatrix} = V_P \\ s.t.\ \omega^T x_1 - \mu^T y_1 \geqslant 0 \\ \qquad \omega^T x_2 - \mu^T y_2 \geqslant 0 \\ \qquad \vdots \qquad \vdots \\ \qquad \omega^T x_n - \mu^T y_n \geqslant 0 \\ \qquad \omega^T x_0 = 1 \\ \qquad \omega \geqslant 0, \mu \geqslant 0 \end{cases} \tag{2-8}$$

根据线性规划的对偶理论可知，规划模型（2-8）的对偶规划模型为：

$$\begin{cases} \min \ (\lambda'_1, \lambda'_2, \cdots, \lambda'_n, \theta) \begin{pmatrix} 0 \\ 0 \\ \vdots \\ 0 \\ 1 \end{pmatrix} = V_P \\ s.t. \displaystyle\sum_{j=1}^{n} \lambda'_j x_j + \theta x_0 \geqslant 0 \\ \quad -\displaystyle\sum_{j=1}^{n} \lambda'_j y_j \geqslant 0, \quad \lambda'_j \leqslant 0, \quad \theta \text{无符号限制} \end{cases} \quad (2-9)$$

引入新的变量 $s^+, s^- \geqslant 0$,并令 $-\lambda'_j = \lambda_j$,可将对偶模型（2-9）表示成:

$$\begin{cases} \min \ \theta = V_D \\ s.t. \displaystyle\sum_{j=1}^{n} \lambda_j x_j + s^- = \theta x_0 \\ \displaystyle\sum_{j=1}^{n} \lambda_j y_j - s^+ = y_0 \\ \lambda_j \geqslant 0, \quad j=1,2,\cdots,n. \\ s^- \geqslant 0, \quad s^+ \geqslant 0 \end{cases} \quad (2-10)$$

并直接称模型（2-10）为模型（2-9）的**对偶规划**。

定理2 规划模型（2-8）和规划模型（2-10）均存在解,并且最优值 $V_D = V_P \leqslant 1$。

2. 数据包络分析（DEA）的基本模型之二——C^2GS^2模型

1985年, A.Charnes, W.W.Cooper, B.Golany和J.Stutz等学者提出了不考虑生产可能集满足锥性的DEA模型,一般简记为 C^2GS^2,这种模型比较接近于客观实际,也是建立资源优化配置评价模型的基础。

C^2GS^2 的模型具体如下:

$$\begin{cases} \min \ \theta = V_D \\ s.t. \displaystyle\sum_{j=1}^{n} \lambda_j x_j \leqslant \theta x_0 \\ \displaystyle\sum_{j=1}^{n} \lambda_j y_j \geqslant y_0 \\ \displaystyle\sum_{j=1}^{n} \lambda_j = 1 \\ \lambda_j \geqslant 0, \ j=1,2,\cdots,n. \end{cases} \quad (2\text{-}11)$$

或

$$\begin{cases} \min \ \theta \\ s.t. \displaystyle\sum_{j=1}^{n} \lambda_j x_j + s^- = \theta x_0 \\ \displaystyle\sum_{j=1}^{n} \lambda_j y_j - s^+ = y_0 \\ \displaystyle\sum_{j=1}^{n} \lambda_j = 1 \\ \lambda_j \geqslant 0, \ \ j=1,2,\cdots,n. \\ s^- \geqslant 0, \ \ \ \ \ s^+ \geqslant 0 \end{cases} \quad (2\text{-}12)$$

其中 $s^+ \in R^m$，$s^- \in R^s$，模型（2-11）和模型（2-12）的对偶问题为：

$$\begin{cases} \max \ \mu^T y_0 + \mu_0 = V_P \\ s.t. \ \omega^T x_j - \mu^T y_j - \mu_0 \geqslant 0, \ j=1,2,\cdots,n \\ \omega^T x_0 = 1 \\ \omega \geqslant 0, \ \ \ \mu \geqslant 0 \end{cases} \quad (2\text{-}13)$$

其中 $\omega \in R^m$，$\mu \in R^s$。

定义6 若规划模型（2-13）的最优解 ω^*，μ^*，μ_0^* 满足

$$V_P^* = \mu^{*T} y_0 + \mu_0^* = 1$$

则称 DMU_{j_0} 为弱DEA有效（C^2GS^2）。

定义7 若规划模型（2-13）不仅有$V_P^*=1$，而且$\omega^*>0$，$\mu^*>0$，则称DMU_{j_o}为DEA有效（C^2GS^2）。

规划模型（2-13）与（2-10）都存在最优解，且最优值$V_P^*=V_D^*\leqslant 1$，并且在n个DMU_j（$1\leqslant j\leqslant n$）中必存在DEA有效（C^2GS^2）的决策单元。

定义8 设模型（2-11）和模型（2-12）的最优解为$\lambda^*,s^{*-},s^{*+},\theta^*$，则：

（1）若$\theta^*=1$，则DMU_{j_o}为弱DEA有效（C^2GS^2）；

（2）若$\theta^*=1$，并且$s^{*+}=s^{*-}=0$，则DMU_{j_o}为DEA有效（C^2GS^2）。

三、数据包络分析（DEA）的研究进展

近年来，全世界有关DEA的理论研究与实际应用工作得到长足的发展。DEA发展至今已成为一种组织和分析数据的新方法。由于DEA方法无需预先给出权重，在评价公共管理部门和组织的效率方面就显示出独特的优势。同时，DEA的出现还给多输入多输出情况下的"生产函数"研究开辟了新的前景。与生产函数相比，DEA方法更接近于系统的分析方法，因而成为联接现代经济学、管理学和系统科学的桥梁之一。

关于DEA理论研究的进展情况，本书从模型扩展、应用领域和发展趋势三个方面进行阐述。

1. 模型扩展

继C^2R模型、C^2GS^2模型和C^2WH等模型之后，由于实际生产过程和经济活动的多样性以及决策者在有效性评价活动中的作用不同，一些学者从实践出发，在上述模型的基础上，扩展和派生出一些有特色的DEA模型，从而使DEA方法在实际应用中更加完善，更符合实际的需要。

（1）含有偏好的DEA模型

DEA将单输入／单输出的工程效率概念推广到多输入／多输出的同

类DMU的有效性评价之中，通过评价对DMU的活动情况进行监控，这种监控主要通过DEA的投影原理来实现。但是，这种投影只得到了一种DMU有效（或非劣）的"工作状态"，在实践中往往难以令决策者感到满意。这就使得DEA方法与决策者的偏好之间的关系成为一个难以回避的问题。A1i等人针对滞后效应等因素将DEA模型中的权重确定为由决策者预先给出强有序和弱有序约束，并证明强有序约束仍能保持原DEA模型的结构。朱乔等人注意到，DEA分式模型中权重的有序性实际上可以看成是决策者对输入及输出指标间相对重要性的一种偏好，进而从另一角度在DEA模型中引入决策者的偏好，建立了一系列含有偏好的DEA模型。该模型经过对原DEA模型（C^2R）的改进，使各输入／输出指标的变化率不同，并由权重的确定，获得一个令决策者满意的投影点。该模型反映了决策者对其调整比率的偏好。通过选取一定的权重系数，可以获得DEA有效前沿面上的每一个有效投影点。

（2）含有随机因子的DEA模型

20世纪90年代DEA方法发展的另一趋势是将随机因子引入DEA分析之中。胡汉辉等人证明了DEA不仅可能是一个极大似然估计，而且还可能是一个有偏一致估计；并利用最小绝对误差估计和机会约束规划，初步研究了数据包络模型中的随机性问题，建立了一批含有随机因子的线性及非线性的数据包络模型，并对这些数据包络模型解的存在性和规律性进行了讨论，得出了一些有意义的结论。

（3）灰色DEA模型

由于灰色线性规划的求解十分困难，一般不能直接求出灰解，所以限制了灰色DEA模型的进一步应用。郝海等人针对灰色线性规划的求解问题，探讨了灰色DEA模型白化以后最优解的变化情况，给出了白化因子、白化规划等概念，利用将灰色线性规划问题转化为若干个一般线性规划的方法，较好地解决了灰色线性规划求解中的困难。

（4）复合DEA模型

经验与理论都表明DEA方法中选择评价指标的重要性。由于在不同指标下DEA评价结果是不同的，因而，随指标变化的DEA有效性变化中所包含的信息具有应用价值。吴广谋等人基于这一思想，设计了一种以不同指标下的有效性系数为基础、获取决策单元有效性与输入／输出指标之间关系信息的方法，对DEA方法进行了推广，从不同指标下的有效性系数中综合出DMU的输入、输出特性的信息。

（5）多目标DEA模型

经典的单目标的DEA模型通常只能从投入（或产出）的角度测算DMU的相对最高效率，难以测算其相对的最低及平均效率，两种角度的测算结果通常不相同。李广靖等人提出了一种基于多目标规划的研究DMU相对有效性的扩展DEA方法，通过投入及产出来测算DMU相对的平均效率、最高效率及最低效率，并研究其相对有效性。王应明等人亦提出了一种基于DEA思想的有限方案多目标决策分析方法。它以加权法为基础，对不同的决策方案分别采用不同的最优加权系数，从而使得决策方案的优劣比较和排序将在其理想评分值基础上进行。

2. 应用领域

由于DEA方法对输入／输出指标有较大的包容性，可以接受在一般意义上很难定量的指标，因此它在处理有效性评价问题时比一般常规统计和参数型方法更有其优越性。

目前，DEA方法的应用领域主要有：

（1）公共事业评价

DEA的第一个成功的运用是评价为弱智儿童开设的公立学校项目，它是一种在评价的同时还可以描绘出反映大规模社会试验结果的研究方法。之后，随着人们的深入研究和实践，DEA的应用范围不仅由非营利的公共事业单位扩大到企业，而且也由横向的管理效率评价延伸到同一个决策单元历史发展的纵向评价。

（2）生产函数的确定

DEA的经济意义决定了它在经济学领域以及企业的效益分析中有着广泛的应用价值。生产函数在经济学中是一个非常重要的概念，但只有发现了DEA手段，才使得生产函数的确定达到了科学和实际上的要求。1989年，魏权龄等人介绍了使用DEA方法建立生产函数的方法，并以国民生产总值生产函数为例，与其他生产函数的确定方法进行比较。1991年，台湾的郭平昌等人用DEA方法研究了线性生产函数问题。1992年，于维生将DEA方法与回归分析相结合，估计了我国1988年部分省市的农业生产函数。杨印生等人还应用DEA方法对某地区的农业工程发展状况进行了发展评价，从而得到有效的发展轨迹。1991年，陈瞬贤等人使用DEA方法研究了种植业的生产函数，从而可以分析农机化的增产效果。

（3）企业管理效率评价

DEA应用最为活跃的领域应属企业管理效率的综合评价问题。从美国军用飞机的飞行、基地维修保养以及银行、医院到交通，其应用的范围还在扩展。肖承忠等人分别对我国机床工业管理的相对有效性进行了综合评价，并对我国和西欧地区机床工业企业管理的抽样进行了比较研究，提出了一些改进管理、提高效益的意见。魏权龄等人用DEA方法对全国棉纺工业、铝冶炼工业进行评价研究，并将结果反馈到有关部门受到高度重视。李丽等人将DEA方法用于吉林省八大城市的经济评价，并引入了相对和谐度的概念，讨论了和谐与DEA有效性的关系。1991年，崔顺英等人首次将DEA方法应用于质量经济分析，在质量满足用户需求的前提下，从相对有效的角度分析与评价质量形成过程中投入要素的最佳组合。

（4）预测

一般而言，DEA模型主要用于根据历史数据对技术有效性或规模有效性进行研究。自从它被推广到交互式多目标决策后，DEA在预测方面的应用得到较系统的研究。

对具有多输入及多输出的时间序列问题而言，当已知前n个时期中每个时期的输入与输出构成的决策单元，需对第$n+1$个时期进行预测时，可以用DEA的有效性在给定输入的情况下进行有效输出的预测。刘赢洲把在单输入／单输出情况下用生产可能集的DEA前沿面进行预测的方法推广到多输入、多输出的情况，进一步提供了一种用弱DEA有效性进行预测的简便方法。吴文江提出了一种将C^2GS^2模型用于预测的方法。

3. DEA方法在中国发展的趋势展望

DEA的研究进展说明，它的优势在于能对管理和技术状态的相对有效性作出有说服力的评价。因此，可以预见，中国今后一段时期DEA的发展将主要围绕提高有效性评价的"精确程度"展开。中国的DEA研究将会在下述方面有所发展。

（1）关于宏观经济改革态势的有效性评价；

（2）DMU的成本效率估计；

（3）随机模型的进一步研究；

（4）具有负输入、负输出的模型的有效性问题；

（5）DEA的灵敏度研究。

第三章　企业技术创新项目的评价与决策体系

第一节　企业技术创新项目及其特性

一、企业技术创新项目的定义

关于技术创新项目的含义，虽然有一些表述，但尚未形成一个明确、统一的概念。出现较多的关于技术创新项目的定义有以下几种：

其一，技术创新项目一般是指经过批准、具有独立设计文件（或项目建议书），或企业、事业单位制定的以获取商业利益为目标，抓住市场潜在盈利机会，采取新的生产工艺直至提供新的产品的、具有独立发挥效益的工程。技术创新项目可以看作是创造新产品、新生产工艺或新生产车间。

其二，技术创新项目，是指技术研究、技术攻关、技术开发和技术工程建设等与技术创新相关的项目，以及具有探索性强、投资强度高、涉及面广、技术难度大、不可预见因素多等技术创新项目特点的其他项目。

其三，技术创新项目是占用大量人力、物力、财力等社会资源而研究、开发成功的具有高科技、高技术含量的产品技术或应用技术，并且能够实现批量化、规模化，完成其回报社会的价值功能，从而推动经济发展的项目。

纵观这些关于技术创新项目的不同表述，不难发现它们的共同之处在于强调技术创新在项目中的重要地位和作用。因此，本书将技术创新项目概括定义为："技术创新项目是一般投资项目中具有产品创新和（或）工艺创新的技术特点的一类投资项目，属于一般投资项目的一个子集。"

企业技术创新项目作为技术创新项目的重要组成部分，其目标非常明确，就是将已经开发成功的技术成果实现产业化。

二、企业技术创新项目的特征

企业技术创新项目有着与一般的投资项目不同的特征：

1.建设期短

当今的科技发展日新月异，各项高新技术层出不穷，更新换代周期大大缩短，希望通过项目的建成取得经济效益就必须在较短的建设期内完成项目建设。

2.投资规模大

由于技术本身的高科技特征，要求其工艺技术、工艺装备、建设条件、建设质量、环保设施等都要有相当高的水平。这势必要求较大的投资规模。

3.投资风险大

由于创新的不确定性以及创新效益的溢出效应，使技术创新项目的投资风险大大增加，预期收益高于一般投资项目，收益的不确定性增强。又由于新技术、新产业不断涌现，知识更新速度加快，产品的生命周期缩短，创新产品的寿命周期中伴随着多代产品的更新换代过程。在产品、技术更迭的情况下，项目前期的投入往往由于技术发展和创新上的时滞而导致失败，项目的失败率较高。

4.对项目承担者的能力要求高

高新技术产业的发展是建立在高素质科技人才、管理人才、经营人才的基础上的。技术创新项目的实施需要项目主体（即企业）具有适应市场经济的体制与机制、高效的管理模式、优良的资产结构、良好的发展前景。只有这样，才能圆满地完成项目的建设。

5.经济效益要求高

高投入、高风险项目自然要求高回报，而且作为技术创新项目由于其独有的核心技术，一般具有较强的垄断力，新产品在得到市场认可之后，将产生很强的扩张力，从而带来巨额的现金流，必将产生较高的经济效益。

以上五个特征，充分反映了技术创新项目的特殊性。正是技术创新项目所具有的这些基本特征，使得企业在技术创新项目决策和实施之前必须对技术创新进行深入的分析和研究，从而使技术创新项目的评价成为企业项目管理中最为重要和不可缺少的内容之一。

第二节　企业技术创新项目评价的内容体系

企业技术创新项目评价，是指企业对一项技术创新成果在投资决策前，从技术、经济等方面所进行的调查和论证，目的是判定该项技术创新成果可能取得的成效，为决策者接受和继续实施或放弃项目提供依据。

企业技术创新项目评价的意义主要体现在：①有利于投资者弄清项目真实情况，果断决策；②有利于投资者识别伪劣假冒项目，避免盲目上项目，减少损失。

一、企业技术创新项目评价的特点

企业技术创新项目评价与传统的投资项目评价相比，技术的先进性和高科技含量是最大的区别。投资项目评价主要侧重于项目的经济效益评价，其确定性和预见性是比较高的；而技术创新项目评价则侧重于项目的风险、技术和项目承担企业的技术创新能力评价，其经济指标很难确定和预见，具有很强的综合性、过程性和风险性。

1.技术创新项目评价的综合性

企业推进技术创新的目的在于追求经济效益，但影响到技术创新成功的并非只有经济因素，而是包括经济、技术、社会等多种因素。为了确保创新的成功，应该进行技术、经济、社会等因素的综合分析和考察。在评价范围上，不仅要考虑技术创新项目本身，而且要考察评价创新企业的内部能力和外部环境。考察企业技术创新能力，应具体从以下两个方面着手：（1）对技术创新项目的推进情况进行及时评价，总结已经取得的技术成就，分析考察自身的技术研究与开发能力、产品试验能力、产品制造能力和销售能力等；（2）在外部环境方面，对国家政策、法规、法律、金融、技术、资源和市场等形成技术创新项目的外部条件进行必要的考察。

2.技术创新项目评价的过程性

技术创新项目评价的过程是由立项评价、中间过程评价和项目后评价三个部分组成，分别对应着技术创新的构思形成阶段、创新准备与开发阶段和创新实现与扩散阶段。每个阶段的目的有所不同，解决的问题也有所不同，进行的主要创新活动也不同。构思形成阶段，目的是寻求市场和技术机会，形成多种创新的构思，因此主要的评价内容是项目可行性和项目构思的评价，以利于技术创新项目的风险决策；而技术创新准备阶段的目标是技术创新项目的不断完善和调整，以适于后续创新阶段的进行，主要的评价内容是技术创新项目技术指标的评价；创新实现扩散阶段的目标是实现规模效益和社会效益，这个阶段的评价主要是效益的评价。因此，为了保证技术创新沿着正确的方向和途径顺利地进行，尽量避免失误造成的损失，评价也应该贯穿技术创新的全过程。

3.技术创新项目的风险性

一般的工程项目也存在着风险，但技术创新项目的风险比一般的工程项目的风险大得多。一般来说，未来收益越高的创新项目其风险也越高，由此引起损失的机会也非常大。风险一般来自技术创新项目本身、技术创新项目实施企业和技术创新项目的外部环境，因此风险评价应该成为企业进行技术创新项目评价的重要部分。同时，实施技术创新项目的目的是为了获得效益，没有效益的项目风险再低也没有实施的必要，因此应该综合考虑风险和效益。

二、企业技术创新项目的评价准则

企业技术创新项目的多阶段、多因素风险与不确定性，决定了企业技术创新项目选择与评价的难度。但这并不意味着不能评价，相反更应当准确评价以降低风险，提高项目成功率。

对于技术创新项目来说，其最终成果大多体现为新产品、新技术、新工艺和新材料。技术创新项目的成功应该有两层含义：一是技术上的成功；二是商业上的成功。不少国家的经验表明，影响一种新技术、新产品成败的往往不是技术因素而是非技术因素。因此，在选择与评价一个技术创新项目时，必须对技术因素以外的许多非技术因素予以应有的重视。选择与评价的标准，重点应放在新产品、新技术对社会所提供的最终产品的效用及其社会经济效益方面。依照影响企业技术创新项目的因素，可以有针对性地确定项目选择与评价的准则。

1.目标原则

任何企业的技术创新项目都是为一定目的服务的。技术创新项目的选择不能脱离企业的经营目标与任务进行。

2.具体情况具体分析原则

在企业经营战略的指导下，首先，根据具体目标和任务进行选择；其次，企业在不同发展阶段，随着情况的变化，其任务与目标会发生相应的变化，因而，所拟定选择与评价的准则不能是一成不变的；再次，不同类型的企业，以及不同性质的项目，应有其各不相同的选择标准。

3.全面评价原则

实践表明，在技术上获得成功的项目，依然有相当大的一部分（据统计达$1/3{\sim}1/2$）因经济上的原因（如不能获利）而不被采用。造成这种情况的重要原因之一在于：对技术创新项目，人们往往从技术方面考虑多，重视技术上的先进性多，而不注意其经济上的合理性，即只重视技术因素，不重视非技术因素；即使重视了非技术因素的分析，往往又只注重经济因素的分析，而不重视对非经济因素（政治、社会、环保等因素）的分析。重大技术创新项目的失败有一半以上都是由于非技术因素与非经济因素的作用造成的，因而，全面的评价与论证既要重视技术因素、经济因素，又要周密考虑非技术、非经济方面的因素，是进行选择与评价的一项十分重要的原则。

4.先进性与可行性相统一原则

企业技术创新项目的选择必须要求先进性，但技术的先进性，还必须同可行性相结合。脱离实际条件，片面追求先进技术水平，不能给企业带来实际的经济效益。因此，要从企业当时所处的环境出发，从现有的技术条件、资源条件、科技力量与研发能力出发，充分做好可行性论证。未经可行性论证的项目不能贸然进行大量投资，以免造成各种不必要的浪费与损失。

三、企业技术创新项目评价的内容

技术创新项目具有科技含量高，投资需求量大，经济收益高，技术和产品更新换代快，市场竞争激烈等特点，特别是其投资风险较一般技术改造项目或一般建设项目大得多。因此，对于企业技术创新项目的评价必须结合其特点，运用技术经济方法对项目的可行性，尤其是对企业的创新能力、项目的技术和风险进行准确评价，从而尽可能地提高项目的实现程度，降低投资风险。

企业技术创新项目评价的内容中，项目的技术和风险评价与项目单项评价中的项目技术评价和项目风险评价是一一对应的，而企业创新能力评价中包含了项目单项评价中的项目经济评价、项目运行条件评价和项目环境影响评价三项内容。项目经济评价、项目运行条件评价和项目环境影响评价作为企业进行技术创新活动的必要评价内容，通过企业自身创新能力的评价加以反映。

1. 企业创新能力评价

企业技术创新能力具体包括销售能力、管理能力、生产能力、技术能力和资金能力等内容。对企业技术创新能力评价的主要目的，是通过对企业的基本素质、企业的经营管理水平、企业的经济效益和企业的发展前景的分析，考察技术创新项目实施的可行性和保障程度。作为承担技术创新项目的企业的创新能力和绩效，直接关系到技术创新项目的决策与管理，是企业技术创新项目评价中的一项重要内容。

2. 企业技术创新项目的技术评价

技术创新项目技术评价的原则之一就是技术领先的原则，技术领先包括产品技术领先和工艺技术领先两部分。

技术评价的定性指标有：技术的有效性、技术的适用性、技术的可靠性、技术的复杂性、技术的先进性、技术的可替代性和技术的易模仿性。其中，技术的有效性是指被评价的技术是生产和生活所需要的，并确实能完成所需要的功能；技术的适用性描述了技术适用的难易程度和广泛性；技术的可靠性是指被评价的技术接近最后产品的程度及产品在规定条件下和规定时间内无故障地发挥其特定功能的概率，它要求工程技术和产品技术的完善；技术的复杂性越高，在由技术过渡到产品并投向市场的过程中越容易出现问题；技术的先进性的判断标准一般通过查新、检索国内外同类技术达到的参数来确定处于何种水平；技术的可替代性是指用不同技术实现同一功能；技术的易模仿性是指技术一旦被成功模仿，就会丧失优势地位。

技术评价的定量指标主要是项目技术的科技含量指数（具体内容见第五章）。

3. 企业技术创新项目的风险评价

技术创新项目的特点之一就是高风险性，这种高风险来自于对它的高投入，来自于它的动态技术经济发展过程，来自于它的战略先导性和激烈竞争性。

企业技术创新项目的风险评价的目的就是通过风险识别和风险评价，

合理地使用多种管理方法、技术和手段对项目投资活动涉及的风险进行有效控制，尽量扩大项目投资活动的有利后果，妥善地处理风险事故造成的不利后果，以最少的成本安全、可靠地实现技术创新项目的总目标。

四、企业技术创新项目评价的难点

技术创新项目评价在创新管理中占有极其重要的地位，应该受到企业管理者的高度重视。但技术创新项目评价的实施，目前尚存在一些技术上的困难。

1. 综合性难题

技术创新项目评价是融经济、技术、社会为一体的综合性评价，在评价方法上不可能完全定量化（即用一系列特定的数学公式和计算结果来完全表征），评价的结果不仅表现为一系列的量化指标，还包括大量定性的论断。能否科学准确地得出各个方面的评价结果，并将这些零散的结果有机融合起来，形成一个最终的评价结论，是关系到创新管理决策的科学性、关系到技术创新项目能否顺利推进的核心问题。在此方面，目前虽已发展出一些理论和方法，如评分法、矩阵法、层次分析法等，但尚不能完全满足创新项目评价的要求。

在实践中，这种综合性的工作往往不得不依赖于创新管理者自身的综合能力和经验积累。对大量复杂、综合、多层次、多种类的信息材料，真正能够做到面面俱到、客观公正、始终如一是十分困难的。而且，通过人工处理评价问题效率低、速度慢，有时为了提取到足够多的信息材料，进行较为全面的评价，往往会人为中断创新进程，拖延创新周期，对企业竞争造成不利的影响。

2. 信息瓶颈

技术创新项目评价涉及经济、技术、社会多个领域，覆盖企业内外部因素。要做好技术创新项目评价工作，就必须充分而及时地占有来自各方面的信息。企业技术创新项目评价所需的信息一般都是根据具体的要求通过人工收集、检索和加工的。通过人工收集信息，一是速度慢，二是容易造成片面性和重要信息的丢失，而利用人工处理内容冗杂、结构松散的原始信息更是一项效率低下而又十分艰巨的工作。因此，信息获取和处理方面的低效率已成为制约创新评价深入开展的严重障碍。

造成技术创新项目评价困难的主要原因是：

（1）技术的不确定性

技术研究与开发工作本身是创造性的，客观上必然存在某些科研盲点，这些盲点或者源于本学科理论体系的自身缺陷，或者源于相关学科研究的进展程度判断失误，这可能使技术创新工作建立在不牢靠的学术基础上。另一方面，在项目执行期间，环境的变化使得科学技术可能会发生较大的变化（如竞争对手可能已取得突破性进展，或已证明某些技术路线行不通），这些外部因素的变化都会增加技术的不确定性，而要恰当把握这些技术上的不确定性及其对项目的影响是很困难的。

（2）效益的不易判断性

技术创新项目的效益具有多样性的特点，既十分重视经济效益，又非常重视人才培养、知识积累、技术跟踪及打破封锁、增强综合国力等社会、政治、军事效益。仅就经济效益而言，许多仅以研究新材料、新工艺、零部件等中间成果为主的技术创新项目通常很难进行准确估计，其社会、军事效益、间接经济效益等因缺乏相应模型就更难作出计算和判定。

（3）项目的多样性

技术创新项目涉及技术研究的各个领域，目标及学科的多样性导致项目的多样性，内容、方法、人员结构、经费、进度、管理方式等诸因素必定会带来评价内容上的差异。而评价指标、评价方法及评价专家的选择也会直接影响对项目的评价标准与评价结果。

技术创新项目评价方法研究，是一项集评价理论、评价方法与具体操作系统为一体的综合性项目，既包括评价的理论与方法的创新，又包括实际操作中许多技术难点的解决；既包括调查研究的方法与实践，也包括每一个评价对象的分析；既包括评价方案的设计与优化，也包括评价方案的实施；既包括评价模型的建立，也包括评价结果的分析。自20世纪50年代以来，技术创新项目评价方法的研究在理论方面取得了一些成绩，但是，由于技术创新项目本身的固有属性，使得建立起一套系统化、科学化的技术创新项目评价体系的工作变得非常困难。

第三节　企业技术创新项目决策的内容体系

企业技术创新项目的决策是按照一定程序、方法和标准，对技术创新项目的规模、投资与收益、工期与质量、技术与运行条件、技术创新项目的环境影响等方面所作的调查、研究、分析、判断和选择。技术创新项目决策是项目的相关利益主体为了实现自己组织的目标，运用相关的决策原理与方法对项目的选择过程。

一、企业技术创新项目决策的内容和程序

企业技术创新项目最主要的决策工作包括以下几个方面：

1. 调查研究收集资料

在企业技术创新项目的决策过程中，首先必须进行调查研究和收集相关的数据与资料，这是项目决策的基础性工作。技术创新项目决策所需的信息中既有与项目相关的历史信息，也有对于未来的预测信息；既

有确定性信息，也有不确定性信息；既有项目相关的技术信息，也有相应的经济信息。

2. 确定项目目标

企业技术创新项目决策的最重要的任务就是确定一个项目要达到的预定目标，进而根据确定的目标去进一步开展项目决策的后续工作。项目目标的确定通常都是从组织战略规划出发，从组织的战略目标中获取和提炼，然后按照目标明确、具体、系统、便于度量和切实可行等原则确定项目目标或项目目标体系。

3. 确定项目产出物

在确定了项目目标以后，就需要进一步确定为了实现这些项目目标必须生成的项目产出物，包括实物性项目产出物和非实物性的项目产出物。

4. 拟定项目投资的备选方案

企业技术创新项目投资备选方案的拟定需要从项目产出物的特性和要求出发。同时，在拟定过程中还必须考虑各个投资备选方案的可比性，以确保后续的备选方案评价和优选的有效性。

5. 分析和评价各备选方案的可行性

针对企业技术创新项目投资备选方案的收益和成本、资源条件、风险等各个方面进行分析、预测和评价。这种分析和评价包括对于项目现有条件和未来发展变化的预测以及投资风险的分析。这一工作的最终结果是给出各个备选方案的评价结论供决策时使用。

6. 选择投资备选方案作出项目决策

在对各个投资备选方案分析和评价的基础上，首先筛选掉不可行的备选方案，然后通过对可行的投资备选方案进行选优，最终作出决策。这种优化选择的过程中必须坚持一个原则，即满意原则。

二、企业技术创新项目决策的特点

1. 企业技术创新项目决策的动态序列性

技术创新活动一般要经过研究开发、中间试验和商业化等阶段，因此技术创新项目的选择与评价是一个动态决策过程。科研成果研究开发成功后，如果市场有利，则追加科技成果商品化所需要的后续投资；如果市场前景不看好，则暂时不追加后续投资，而是等待投资时机的到来，这样就可以把风险锁定在研究开发费用的范围之内。投资者可以根据前一阶段的研究成果和对最新市场信息的把握，不断地调整预期现金流，重新对项目的价值进行评价并作出新的决策。

2. 企业技术创新项目决策的复杂性

技术创新项目决策的复杂性主要表现在以下几方面：（1）由于项目决策是一个动态过程，在动态情况下计划与控制项目预算是一个复杂问题；（2）由于研究与开发费用发生率的非线性增长，往往会导致现金支出的起伏波动状态，使项目选择受到资金支付上的制约而变得复杂化；（3）及时中止那些无发展前途的项目，以免陷入不可收拾的困境，但中止一个项目却是件很复杂的工作。

正因为技术创新项目具有高风险与高收益的特点，以及项目决策的动态性与复杂性，使得传统的财务评价方法失效。那些方法大多是对项目的未来现金流量进行估计，力求达到最定量化地反映项目的价值，但在选取的指标上却往往缺乏灵活性，并不符合技术创新项目的特点。传统方法对于小的、常规性的技术创新投资项目还有一定的价值，但对于大的、复杂的项目就不太适用了，尤其在判断是否向全新的领域进行投资时，更加不具备实用性。

三、企业技术创新项目决策与评价的关系

企业技术创新项目的评价与决策是紧密相关的，两者是一种互为前提和结果的关系。一方面，项目决策首先要对项目的备选方案进行评价，因此项目评价是项目决策的前提，而项目决策是在项目评价的基础上所得到的结果。另一方面，不断深入的项目评价都是以项目的前期决策为前提条件的。企业技术创新项目评价与决策之间的关系，见图3.1所示。

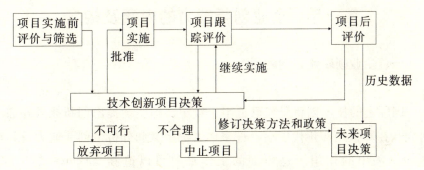

图3.1 技术创新项目决策与评价关系图
Figure3.1 The Relation Between Evaluation and
Decision of Technological Innovation Project

第四章 基于DEA的企业创新能力评价模型研究

第一节 企业创新能力的内涵及构成

一、企业创新能力的内涵

国际上的技术创新研究已近半个世纪，但明确提出创新能力并加以研究却在20世纪80年代以后。许多作者都定义和分析了创新能力及其在企业发展中的作用。这方面的工作最早可以追溯至Penrose的工作。Penrose（1959）提出"杰出能力（distinctive competence）"的概念，把它定义为"企业更好地配置和使用资源以获取经济租金的能力"。在那之后，Dosi等人（1992）提出创新能力是企业竞争能力的基础；Leonard Barton（1992）认为创新能力是为企业带来竞争优势的知识体系，它包括知识库、技术系统、管理系统、规范和价值观系统；Coombs（1993）认为创新能力是企业能力的组合。在这些研究之中，Prahalad and Hamel（1990）的定义最有影响，他们认为创新能力是企业通过投资和学习行为累积起来的企业专长。

企业创新能力是企业所拥有的用来组合协调资源进行特定创新活动的积累性储备。在企业的技术创新活动中，通过创新能力，把企业资源组合起来并引导它们为特定的创新目标服务。创新能力是在资源的基础之上所构成的一种"经验基础"，它是包括技术、产品、工艺、知识、经验以及组织等在内的含义较广的企业特殊资产。

目前，企业创新能力已经成为企业衡量自身竞争能力的基础。企业创新能力具有以下性质：①它是技术要素与组织要素的复杂混合；②它是企业竞争优势之源；③它是企业专有的，具有路径依赖性，难以模仿；④它具有动态性，能够随竞争环境的改变而改变。

企业是由一定的要素按一定方式结合而成，具有经济、社会和生态功能的动态、开放的复杂系统。企业创新就是在一定的外界环境中，在企业战略的指导下，在企业文化和制度的约束下，企业管理部门通过对R&D部门、生产部门和市场部门的调控，使物质、能量、资金和信息在整个系统中有效流动，进而实现与外界的物质、能量、资金和信息交流在质的方面不断优化，在量的方面不断扩大的动态过程。对于处在一定时空和社会环境中的某一企业来说，企业创新能力包括潜在创新能力和现实创新能力两个层面（如图4.1所示）。

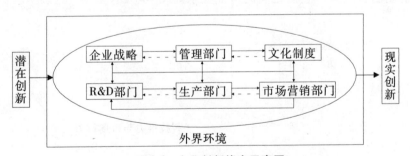

图4.1 企业创新能力示意图
Figure4.1 The Innovation Capability of Enterprise

潜在创新能力是由企业系统自身的要素和结构决定的一种创新能力。在企业系统中，创新的主体对应于企业的硬性要素（R&D部门、生产部门、市场营销部门和管理部门）。在企业硬性要素的各种性能中，最为重要的有以下三种：①信息运作能力（信息的收集、处理和传递能力）；②资金运作能力（融资、投资和资金有效利用）；③人力资本运作能力（人力资源的开发与利用）。为此，研究企业创新能力可以从企业最主要的四个部门（R&D部门、生产部门、市场营销部门和管理部门）的三种主要性能（信息运作能力、资金运作能力和人力资本运作能力）入手。

现实创新能力是指在企业与外部环境的作用中，企业通过与外界环境进行的人、财、物和信息的交流从而实现经济、社会和生态效益增长的能力。企业的现实创新能力是由潜在创新能力转化而来，故现实创新能力必然受到来自企业内部和外部环境两方面的影响。

二、企业创新能力对创新项目的作用机理

科技成果对企业技术创新的推动作用和市场需求对企业技术创新的拉动作用构成了企业创新项目选择与决策的基本客观条件，主观条件就是企业创新能力。它们之间的辩证关系如图4.2所示。

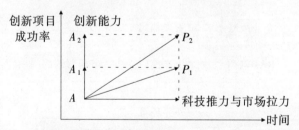

图4.2　科技推理、市场拉力和创新能力共同对技术创新项目的作用
Figure4.2　The Common Reaction on Technological Innovation Project
Among Technical Thrust, Marketable Thrust and Technical

图4.2表明，在同样的市场拉力和科技推力情况下，企业创新能力的大小将决定技术创新所能达到的水平。在企业只有创新能力A_1的情况

下，技术创新水平只能达到P_1；当技术创新能力为A_2的情况下，创新水平就可能达到P_2。因$A_2>A_1$，所以$P_2>P_1$。同理，一个企业在强大的市场拉力和科技推力之下，如果自身只具有A_1的创新能力，却试图开发具有A_2水平的产品，就会由于企业的创新能力不足，使其创新水平也只能达到P_1；如果是引进技术，情况也是如此，即在只有创新能力A_1的情况下，引进了具有技术创新水平P_2的技术，由于创新能力不足，最后其技术水平同样只能达到P_1。

这就是说，企业创新项目的选择与决策必须坚持量"力"（创新能力）而行的原则。现实中，个别企业技术创新的失败，往往不是由于它们没有感受到市场拉力和科技推力，而是由于没有考虑到将市场拉力、科技推力与企业已有的创新能力结合起来，以致产生创新起点越高越好，创新内容越新越好这种不切实际的现象。企业的技术创新项目、方案的选择与决策必须根据市场拉力、科技推力和企业的创新能力三者的有效结合而定。因此，如何科学、规范、有效、定量地评价企业的创新能力，是十分重要而且非常必要的，这对于企业成功地进行技术创新，建立和保持竞争优势，获得最佳的经济效益和社会效益，都具有重要的理论和实践价值。

三、企业创新能力的基本构成

关于企业创新能力的构成，国际上众多学者和组织都对此进行过探索性的研究，如Christensen按照技术创新过程中的不同作用和功能对创新能力进行了分类，提出了四种基本创新资产，即科学研究资产（符合R&D中的研究）、工艺创新资产、产品创新应用资产（细分为技术和功能）和美学设计资产；经济合作与发展组织（OECD）提出了用于收集企业技术创新数据的OSLO手册，其中，许多指标涉及企业的创新能力；从战略管理出发，Burgelman等把创新能力定义为一个组织激励与支持其技术创新战略的特性集合；从创新过程出发，Chiesa等开发了一个技术创新审计框架。然而，在企业和组织的创新能力研究领域至今还没有一个能够较全面反映企业创新能力构成、并得到广泛认可且行之有效的研究方法和测度工具。

本书采用的是国内学者官建成对企业创新能力的划分。在对国外学者研究成果进行系统分析、评估的基础上，结合我国制造业技术创新实践，官建成等人提出了7个衡量企业创新能力的维度，将企业创新能力划分为学习能力、研究开发能力、生产制造能力、市场营销能力、资源配置能力、组织创新能力和战略计划能力共7类。

1.学习能力

学习能力是企业从外部途径吸纳知识的特殊能力，它帮助企业辨识、筛选、吸收和开拓现存知识。

2.研究开发能力

研究开发能力包括科学研究能力、工艺创新能力和产品创新能力。

3.生产制造能力

生产制造能力是指把研究开发成果转化为符合设计要求的可批量生产的产品的能力，它保证了企业根据创新要求将生产投入要素转变为市场所需要的产品，而且企业的市场反应速度、设备水平、成本结构、质量管理以及库存策略都影响着企业的生产制造能力。

4.市场营销能力

市场营销能力是指企业在充分理解用户需求、竞争态势、成本和收益、创新的可接受性以及企业自身创新能力的基础上，按照企业的销售渠道进行创新产品的宣传和销售的能力。

5.资源配置能力

资源配置能力保证了企业在进行技术创新过程中能够获得足够的资金、人才以及技术的支持，这种能力显示了企业的资金运筹水平、人才管理效果和技术来源的灵活多样性。

6.组织创新能力

组织创新能力是指企业在部门协调、组织应变、组织文化、组织机制以及管理方法等方面所形成的特定能力，这些能力保证了技术创新过程的顺利进行。

7.战略计划能力

战略计划能力是指可以促进内部创新能力开发与积累并对外部各种关系的理解和适应能力，它要求企业高层管理者对市场前景、产业技术动态和国家宏观环境有较明确的把握。

第二节 企业创新能力的评价

一、企业创新能力评价的意义和作用

对技术创新项目承担企业进行创新能力评价是项目评价的重要组成部分。重视企业创新能力，不断提高企业创新能力评价的质量，对项目评价及投资决策具有十分重要的意义和作用：

其一，确保技术创新项目有一个坚强有力的承担主体，以保证项目在一个具有现代企业制度的高素质的企业业主的基础上实施，使项目的管理风险降低或减少到最低程度。

其二，明确项目投资的客观条件，提高项目的成功率。企业创新能

力是完成项目投资活动的基本条件。企业创新能力弱，客观上就会形成项目投资活动开展的不利因素，必须采取措施对策，将不利因素转化为有利因素，因此，企业创新能力评价，有利于客观公正地认识项目投资的客观条件，为项目投资决策服务。

其三，加强项目投资管理基础，提高投资效益。通过承担项目企业的创新能力评价，可以明确企业在经营管理中的优势与不利因素，促进企业扬长避短，充分发挥优势条件，整顿薄弱环节，进一步提高企业创新能力；同时，在项目投资活动中加强项目投资管理，在项目投资建设中充分利用自身优势，克服不利因素，努力提高项目投资效益。

二、企业创新能力评价的基本内容

对于一个技术创新项目来说，企业创新能力的强弱在很大程度上决定着项目的最终结果——项目的成败或效益的高低。但企业创新能力的评价却是极其困难的。

企业创新能力评价，是从企业内部经营管理和外部经营环境两个大的方面分析评价企业实施和管理拟建投资项目的能力。

在企业外部经营环境方面，企业创新能力产生的直接影响表现为企业竞争力的变化。企业创新能力是企业获得竞争优势的重要内在基础，可以说，企业创新能力是企业竞争优势的源泉。由于企业创新能力与竞争力之间存在着密切的联系，所以，可以通过企业竞争能力的强弱来反映一个企业创新能力的高低。

在企业内部经营管理方面，企业创新能力产生的直接结果表现为企业技术创新绩效的改变。企业创新能力和创新绩效两者之间存在着显著的正相关性。企业创新能力的整体提高与企业创新绩效的提高之间是密不可分的。

因此，本书将企业创新能力评价的基本内容分为两个部分，企业竞争能力评价和企业创新绩效评价。

三、企业创新能力评价的原则

企业创新能力评价应遵循的原则主要有：

1.科学性原则

企业创新能力评价的内容必须符合社会主义市场经济和建立现代企业制度的要求，分析要采用科学、合理、适用的方法。

2.综合性原则

企业的创新能力涉及企业的内部经营管理和外部经营环境的诸多因素，各因素间相互制约，因此，评价的内容应包括决定企业创新能力的各主要方面。

3.可比性原则

评价时采用的指标应具有可比性，以便确定企业创新能力的强弱，有助于对企业进行排队。

4.易操作性原则

企业创新能力评价的方法应尽可能简便易行，不应过于复杂或技术性过强，应力求易于为大多数项目评价的实际工作者所接受。

5.定量和定性分析相结合原则

定量分析的主观随意性较小，应尽可能采用；但是，在任何情况下，定性分析和判断都是必不可少的，特别是在做辅助分析的时候。

第三节 基于DEA的企业创新能力评价模型

系统、科学、有效地评价企业创新能力，对于企业科学地定位自身的技术创新状态，采取有效的技术创新策略，保持和提高企业竞争优势，获得最佳的经济效益和社会效益具有特别重要的意义。

依据企业创新能力评价的基本内容，本节将分别建立以企业竞争力为输出的多目标DEA控制投影模型和以企业创新绩效为输出考虑环境因素的DEA评价模型。

一、以企业竞争力作为输出的多目标DEA控制投影模型

衡量企业竞争力强弱对于企业制订R&D策略和实施技术创新项目都具有重要作用。从长期来看，企业的创新能力构成了企业竞争优势的最终源泉。同时，企业竞争力是一个复杂的层次结构，而企业创新能力也包含了技术、组织管理、生产制造、市场营销以及产业环境等多个因素，因此企业创新能力与竞争力之间的关系评价是一个多输入、多输出的问题。基于此，可利用DEA方法来评价企业创新能力与竞争力之间的数量关系。

利用传统的C^2R模型找出非有效单元后，常通过减少输入或者增加输出来改进非有效单元。但并非每种输入都可以无限制地减少，同样，并非每种输出都可以无限制地增加。

但是，如果把企业的创新能力作为模型的输入，而将企业的竞争能力作为模型的输出，那么，模型的输入要素——企业创新能力就不能随意减少，因为它是企业经过长期积累在内部逐步形成的，是资源之间相互协调的复杂模式，具有历史依存性、学习积累性和不可还原性；而模型的输出要素——企业竞争力也不是可以轻易增加的，因为不论是市场占有还是销售增长都受制于行业内的竞争态势和企业整体收益。遗憾的

是，目前已有的C²R模型并没有对这类问题进行考虑。为此，本书提出了新的投影模型，并用来解决企业竞争力评价的实际问题。

1. 输入—输出指标的选取

企业创新能力是包括技术、产品、工艺、知识、经验以及组织等在内的含义较广的企业特殊资产，上文将企业创新能力划分为学习能力、研究开发能力、生产制造能力、市场营销能力、组织创新能力、资源配置能力和战略管理能力共七类。这种分类充分考虑了技术、市场、管理等不同职能部门，较全面地涵盖了企业创新能力的基本要素。

企业竞争力来源于企业对具有价值特征、异质性、非模仿性和难以替代性资源的占有，因为这类资源保证企业能在某一领域保持战略、技术、管理以及市场领先地位，从而拥有从创新性资产中获得超额收益的潜力。技术创新能力在提供和保护企业竞争优势中的根本作用就在于它对企业在产品市场和技术层次上的竞争力所作出的相对贡献，以及企业相对于竞争对手的技术优势。在本研究中，将企业竞争力定位于市场占有率、销售增长率、出口比例、年利润增长率、劳动生产率增长率、新产品销售比例和新产品创新率等七个指标上，这七个指标不仅表现出企业现有的竞争优势，也显示出未来发展的潜力和在国际市场的竞争力。可将DEA模型中的输入—输出变量用图4.3表示出来。

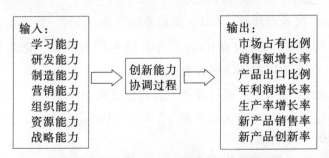

图 4.3 企业竞争力评价的输入— 输出指标
Figure4.3 The Input–Output Indexes of Innovation Capability Evaluation

2. 多目标DEA控制投影模型的构造

针对单目标规划的DEA模型的局限性，已有基于多目标规划的研究决策单元相对有效性的DEA方法被提出，并进而提出了改进非有效单元的途径。但正如前述，某些对输入输出单元的改进是无意义的。因此，本书提出一个新的对输入输出有特定限制的DEA投影模型。

首先，综合不带非阿基米德无穷小的原始C^2R和C^2GS^2模型，将其表达为：

$$\begin{cases} \min \ (\theta_1, \theta_2, \cdots, \theta_m, -\delta_1, -\delta_2, \cdots, -\delta_s) \\ \sum_{j=1}^{n} \lambda_j x_{ij} = \theta_i x_{ik}, \ \theta_i \leqslant 1, i=1, \cdots, m \\ \sum_{j=1}^{n} \lambda_j y_{rj} = \delta_r y_{rk}, \ \delta_r \geqslant 1, r=1, \cdots, s \\ \zeta \sum_{j=1}^{n} \lambda_j = \zeta, \ \zeta = 0 \, or \, 1, \ \lambda_j \geqslant 0, j=1, \cdots, n \end{cases} \quad (4-1)$$

若$\theta_i^* = 1 \ (i=1, \cdots, m)$，$\delta_r^* = 1 \ (r=1, \cdots, s)$为模型（4-1）的有效解，则称$(x_k, y_k)$在模型（4-1）中相对有效。可以证明，$(x_k, y_k)$在模型（4-1）中的相对有效等价于$(x_k, y_k)$在$C^2R$与$C^2GS^2$中相对有效。

令$x_k^0 = (x_{1k}^0, x_{2k}^0, \cdots, x_{mk}^0)$，$x_{ik}^0 = \theta_i^* x_{ik}$ （4-2）

$y_k^0 = (y_{1k}^0, y_{2k}^0, \cdots, y_{sk}^0)$，$y_{rk}^0 = \delta_r^* y_{rk}$ （4-3）

这里，θ_i^*和δ_r^*是模型（4-1）的有效解，称(x_k^0, y_k^0)为(x_k, y_k)在有效面上的投影。DMU_k对应点(x_k, y_k)在有效生产前沿面上的投影(x_k^0, y_k^0)相对原来的n个DMU是DEA弱有效的。

继续对模型（4-1）进行改进，首先定义两个变量：

$$\theta_{l_i} = \begin{cases} l_{ik}/x_{ik} & \text{第}i\text{项投入有下限}l_{ik}\text{，一般有}0 \leqslant l_{ik} \leqslant x_{ik} \\ 0 & \text{否则} \end{cases}$$

$$\delta_{u_r} = \begin{cases} u_{rk}/y_{rk} & \text{第}r\text{项产出有上限}u_{rk}\text{，一般有}0 \leqslant y_{rk} \leqslant u_{rk} \\ \infty & \text{否则} \end{cases}$$

对应模型（4-1），可给出控制投影的多目标DEA模型：

$$
\begin{cases}
\min\ (\theta_1,\ \theta_2,\cdots,\ \theta_m,-\delta_1,-\delta_2,\cdots,-\delta_s) \\[2mm]
\displaystyle\sum_{j=1}^{n}\lambda_j x_{ij}=\theta_i x_{ik},\ \theta_{l_i}\leqslant\theta_i\leqslant 1,\ i=1,\cdots,m \\[2mm]
\displaystyle\sum_{j=1}^{n}\lambda_j y_{rj}=\delta_r y_{rk},\ \delta_{u_r}\geqslant\delta_r\geqslant 1,\ r=1,\cdots,s \\[2mm]
\zeta\displaystyle\sum_{j=1}^{n}\lambda_j=\zeta,\ \zeta=0\,or\,1,\ \lambda_j\geqslant 0,\ j=1,\cdots,n
\end{cases}
\tag{4-4}
$$

模型（4-4）可用解多目标规划的线性加权法求解，即解以下模型：

$$
\begin{cases}
\min\ (\displaystyle\sum_{i=1}^{m}p_i\theta_i-\sum_{r=1}^{s}q_r\delta_r) \\[2mm]
\displaystyle\sum_{j=1}^{n}\lambda_j x_{ij}=\theta_i x_{ik},\ \theta_{l_i}\leqslant\theta_i\leqslant 1,\ i=1,\cdots,m \\[2mm]
\displaystyle\sum_{j=1}^{n}\lambda_j y_{rj}=\delta_r y_{rk},\ \delta_{u_r}\geqslant\delta_r\geqslant 1,\ r=1,\cdots,s \\[2mm]
\zeta\displaystyle\sum_{j=1}^{n}\lambda_j=\zeta,\ \zeta=0\,or\,1,\ \lambda_j\geqslant 0,\ j=1,\cdots,n
\end{cases}
\tag{4-5}
$$

其中，p_i和q_r为输入、输出的权重值。可以证明，如果θ_i^*和δ_r^*是模型（4-4）的有效解，则利用模型（4-2）和模型（4-3）得到的投影相对于原来的n个DMU至少为弱DEA有效。模型（4-4）和（4-5）将θ_i和δ_r人为地限制在一定范围内，对非有效决策单元不能似传统DEA那样根据其数值的大小来判断它们有效性大小，但对其投影来说，却是有重要意义的。在对企业创新能力与竞争力的评价中，各个创新能力要素均不能小于取值范围的下限，否则企业的创新能力积累几乎为零，这时即便取得有效性，也是没有意义的；同时，各个竞争力要素也不能大于取值范围的上限，这不仅受调查问卷评分体系的限制，也决定于市场竞争状况和企业整体利益。

二、考虑环境因素的DEA评价模型

1. 企业创新绩效输出指标的选取

技术创新绩效评价指标有下列作用:

（1）有利于创新决策合理化

在企业决定是否要进行创新以及进行何种创新时，事前的创新绩效评价起着关键性的作用，追求利益最大化的企业不会进行没有绩效或具有负绩效的创新活动，也不会挑选不能使其绩效最大化的创新方案，合理的创新绩效评价指标有利于作出合理化的创新决策。

（2）有利于减少创新风险

技术创新是一项系统工程，涉及很多因素，因此其风险很大。但技术创新一旦成功，其收益也很高。合理的技术创新绩效评价指标综合考虑了收益和风险的匹配，其标准的制定体现了高风险高报酬，从而有效降低了创新风险。

（3）有利于正确度量创新实施效果

这是技术创新绩效评价指标的本质属性，创新绩效指标就是为了衡量创新活动的实施效果。经济效益则是技术创新的出发点和归宿，也是检验技术创新实现与否和实现程度的基本准则。正如任何一项活动的实施效果都要用一定的指标来反映，企业技术创新活动的实施效果也要通过特定的指标——创新绩效评价指标来衡量。

（4）有利于满足企业管理的要求

管理是对特定活动进行组织、计划、控制和协调，技术创新管理就是对技术创新活动的各投入要素进行有效的协调和控制，以得到最佳的效果，而控制需要有指定标准（即指标），效果也是用指标来体现的，这就需要制订出合理的评价指标来判断技术创新活动的实施效果。合理的技术创新绩效评价指标又有助于明确技术创新活动的资、权、利关系。

（5）有利于活跃企业的技术创新

技术创新的成功往往伴随着超额的垄断利润，对技术创新实施效果进行有效的评价，可以为其他企业起到模范带头作用，促进其他企业技术创新的日益活跃，这特别有利于企业在日益国际化、激烈化的市场竞争环境中取得长远的发展。技术创新绩效评价指标作为创新效果的载体日益发挥着巨大的作用。

从20世纪80年代开始，OECD组织和欧盟积极推进新的创新绩效指标的建立。1993年，创新调查委员会（CIS）应用新的指标对几乎所有的西欧国家进行了创新调查，其中所提出的两个创新绩效指标是：①创新产品销售收入占总销售收入的比例；②产品生命周期各个阶段里的企业销售收入。然而，OECD、欧盟组织以及官建成等人进行的技术创新实际调查表明，生命周期销售收入的数据难以收集，这主要是因为企业对产品生命周期无法准确划分。与生命周期销售收入相比，创新产品销售比例数据的收集则较为顺利，能够较好地反映企业创新绩效的实际情况。

另外一个常用的创新绩效指标是创新产品总数。不同行业之间存在着较大差别，如石油行业的创新产品很少，而运输服务行业的创新产品较多。并且，产品创新总数主要反映被引入市场的新产品数量，并不考虑这些产品在引入之后能否取得实效。OSLO手册认为，单纯地用创新产品总数来衡量企业的创新绩效是无意义的，而合理的是采用创新产品数占企业产品数量的比例来刻画企业的创新绩效和创新力度。因此，与国际主流研究接轨，本书采用创新产品销售收入占总销售收入的比例（以下简称为"创新产品销售比例"）和创新产品数占企业产品总数的比例（以下简称为"创新率"）作为测度创新型企业技术创新绩效的两个重要指标。

企业创新能力与技术创新绩效的关系如图4.4所示，企业创新能力与技术创新绩效是相互影响、相互促进的关系。企业创新能力的提高可以提高技术创新绩效，反过来，技术创新绩效的提高也使得企业的人力、物力和财力等要素积累，进一步增加对技术创新的投入。

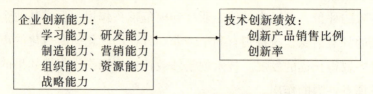

图4.4 企业创新能力与技术创新绩效关系图
Figure4.4 The Relation of The Innovation Capability and Innovation Performance

2. 考虑环境因素的DEA评价模型的构建

人们在评价企业的行为与效率时，通常主要考虑的是资金、劳动、产量和收益等经济指标，而企业对环境排放的废品和污染物（以下统称为环境残余物）及对环境的影响，往往作为一种不重要的因素而被忽视。

在评价企业效率时，通常是输出越大越好，但生产活动中排放的环境残余物却恰恰相反，作为决策单元的输出时，它是一种不希望的输出，企业应尽量减少这些输出。当评价若干个相似企业的效率时，C^2R 和 C^2GS^2 模型均无法使用，但这些企业的生产前沿面是客观存在的，通过对产出变量值做平移变换可以消除输出变量为负的情况。

将环境残余物作为输出的DEA（C^2GS^2）输入和输出模型分别为：

$$\begin{cases} \max \alpha = V_I \\ \text{s.t.} \sum_{j=1}^{n} \lambda_j z_j \geq \alpha z_0 \\ \sum_{j=1}^{n} \lambda_j y_j \geq \alpha y_0 \\ \sum_{j=1}^{n} \lambda_j x_j \leq \theta x_0 \\ \sum_{j=1}^{n} \lambda_j = 1 \quad \lambda_j \geq 0 \end{cases} \quad (4-6)$$

$$\begin{cases} \min \theta = V_{I'} \\ s.t. \displaystyle\sum_{j=1}^{n} \lambda_j \overline{z}_j \geqslant \overline{z}_0 \\ \displaystyle\sum_{j=1}^{n} \lambda_j y_j \geqslant y_0 \\ \displaystyle\sum_{j=1}^{n} \lambda_j x_j \leqslant x_0 \\ \displaystyle\sum_{j=1}^{n} \lambda_j = 1 \quad \lambda_j \geqslant 0 \end{cases} \quad (4-7)$$

模型（4-6）的经济意义是在不增加投入的情况下，尽可能增加好的产出，同时减少环境残余物的输出，这样便实现了经济与环境的双赢。但是，这种方法的运算难度大，可操作性差。

本书首先分析将环境残余物作为输入变量进行企业绩效评价的合理性，在此基础上建立了评价企业绩效的DEA（C²GS²）模型。

生产要素对产出的作用与影响主要由企业（决策单元）采用的技术所决定，即当投入要素变化以寻求最优组合时，决策单元所采用的技术决定了产出量变化的方式。

同样，决策单元的技术决定了由投入物所产生的环境残余物的本质特征，而且不管决策单元采用何种技术，环境残余物都是不可避免的。从这种意义上说，环境残余物可作为决策单元的投入变量进行考虑。由此建立将环境输出物作为投入要素的评价效率的C²GS²模型。

设决策单元DMU$_j$输入t种环境残余物，记为$z_j = (z_{1j}, z_{2j}, \cdots z_{tj})^T > 0$，其中（$j=1,2,\cdots,n$）。

关于输出的模型为：

$$\begin{cases} \max \; \alpha = V_L \\ \text{s.t.} \; \sum_{j=1}^{n} \lambda_j y_j \geqslant \alpha y_0 \\ \sum_{j=1}^{n} \lambda_j x_j \leqslant x_0 \\ \sum_{j=1}^{n} \lambda_j z_j \leqslant z_0 \\ \sum_{j=1}^{n} \lambda_j = 1 \quad \lambda_j \geqslant 0 \end{cases} \tag{4-8}$$

关于输入的模型为：

$$\begin{cases} \min \theta = V_{L'} \\ \text{s.t.} \; \sum_{j=1}^{n} \lambda_j x_j \leqslant \theta x_0 \\ \sum_{j=1}^{n} \lambda_j z_j \leqslant \theta z_0 \\ \sum_{j=1}^{n} \lambda_j y_j \geqslant y_0 \\ \sum_{j=1}^{n} \lambda_j = 1 \quad \lambda_j \geqslant 0 \end{cases} \tag{4-9}$$

构造多目标规划

$$\begin{cases} V = \min \; (f_1 \; (x,y) \; ,\cdots, f_{m+s} \; (x,y)) \\ (x,y) \; \in T \end{cases} \tag{4-10}$$

其中

$$f_k \; (x,y) = \begin{cases} x_k & 1 \leqslant k \leqslant m \\ -y_{k-m} & m+1 \leqslant k \leqslant m+s \end{cases}$$

$$T = \left\{ (x,y) \; \middle| \; \sum_{j=1}^{n} \lambda_j x_j \leqslant x, \; \sum_{j=1}^{n} \lambda_j y_j \geqslant y, \; \sum_{j=1}^{n} \lambda_j = 1, \; \lambda_j \geqslant 0, \; j=1,\cdots, n \right\}$$

$$x = (x_1, x_2, \cdots, x_m)^T, \quad y = (y_1, y_2, \cdots, y_s)^T$$

盛昭瀚等人已证明了以下定理：

定理1 决策单元DMU$_{j_o}$对于模型（2-11）为DEA有效的（C^2GS^2），当且仅当 (x_0, y_0) 是多目标规划模型（4-10）的Pareto解，即模型（2-11）的DEA有效性与多目标规划模型（4-10）的Pareto解等价。

定理2 将环境残余物作为负输出的模型的DEA有效性与模型（4-9）的有效性等价。

定理2的结论对弱有效性也成立。定理2从前沿面角度说明将环境残余物作为输入变量来评价决策单元的效率是合理的，而且当生产可能集不附加凸约束时，也可建立将环境因素作为负输出的效率评价DEA（C^2R）模型。

将环境残余物作为输入变量的评价模型为：

$$\begin{cases} \min \theta = V_G \\ \text{s.t.} \sum_{j=1}^{n} \lambda_j x_j \leqslant \theta x_0 \\ \sum_{j=1}^{n} \lambda_j z_j \leqslant \theta z_0 \\ \sum_{j=1}^{n} \lambda_j y_j \geqslant y_0 \\ \lambda_j \geqslant 0 \end{cases} \quad （4-11）$$

如果将控制环境残余物作为工作的重点，则可利用如下模型：

$$\begin{cases} \min \theta = V_0 \\ \text{s.t.} \sum_{j=1}^{n} \lambda_j z_j \leqslant \theta z_0 \\ \sum_{j=1}^{n} \lambda_j x_j \leqslant x_0 \\ \sum_{j=1}^{n} \lambda_j y_j \geqslant y_0 \\ \lambda_j \geqslant 0 \end{cases} \quad （4-12）$$

在模型（4-11）中去掉 $\sum_{j=1}^{n} \lambda_j z_j \leq \theta z_0$，便可得到不考虑环境因素的模型（2-11）。

三、算例

北京航空航天大学经济管理学院的官建成等人进行过技术创新企业基本情况的问卷调查。问卷调查过程包括三个步骤：①采用文献调研以及专家讨论的方法完成指标体系的初步设计；②召集部分企业界人士对测量指标的难易程度、代表性和实用价值进行评价，以收集反馈意见并作必要修改；③在北京市科委的帮助下，通过北京市各局总公司发放到下属各个企业。此次调查共发放了375份问卷，回收问卷237份，其中有效问卷213份，回收率达到63.2%，有效样本比例为89.8%。其中，182家为北京地区各制造业行业具有代表性的创新型企业，他们在调查期内都开展过技术创新活动，具有一定的创新能力和竞争力。样本中既包括具有一定市场竞争力的优势企业，也包括创新能力平平的非优势企业。调查共涉及到18个行业，兼顾了各个规模的企业，并包括了部分高新技术企业。对企业所属行业、规模以及类型的充分考虑表明所获取的调查数据具有代表性。

1.竞争力DEA控制投影模型的应用

企业创新能力和竞争力指标都采用Likert-type等级度量方法进行评分，在数据调查中，问卷调查度量标准为1—7分和1—6分，1—7分用于评价创新能力各个指标，而1—6分用于评价竞争力的各个指标，虽然竞争力评分标准与创新能力的评分标准不一致，但实际上两套阶段评分标准应用于同一调查问卷可以减轻指标间的自相关性。

本书采用这组数据进行DEA的控制投影分析，目的是使得到的分析结果具有较高的可信度，能全面反映企业创新能力与竞争力之间存在的内部联系，便于更深入地考察企业创新能力的有效组合对企业竞争力的作用强度。

应用模型（4-4）可得到各个企业创新能力和竞争力指标的投影系数 θ_i^* 和 δ_r^*。如果把7个竞争力指标所对应的投影系数进行平均，便可得到整体竞争力的投影系数 δ^*，如表4.1所示。

表4.1　控制投影下企业竞争力指标的综合投影系数

Table4.1　The Comprehensive Projection Coefficient of Enterprise Competition Capability Under the Controlling Projection

综合投影系数	1	1.25	1.75	2.25	2.75	3.25
企业数	29	35	28	31	25	34

从表4.1中可以看出，除了29家企业有效（综合投影系数等于1）之外，其余153家企业中有119家（77.8%）企业的投影系数处于1—3之间，有少数企业的投影系数大于3。研究表明，在限制企业创新能力和竞争力取值范围的情况下，各个竞争力指标仍然具有很大的增长空间，因此，企业应该不断推进市场竞争力的提高。

为了分析各个行业的投影的差异性，可利用 $PO_r^F = \sum_{d \in F} (\delta_r^d \times y_r^d) \div n$ 来计算各个行业的整体投影大小，其中 n 是各个行业的样本量（即企业数）。在控制输入输出变化范围的条件下，各个行业的7个竞争力的最后投影如表4.2所示。

表4.2分析结果显示，为了使企业达到有效，各个竞争力指标的输出调整值（即投影值）并不相同，这种具有企业特性的竞争力投影值为评价企业竞争力大小提供了科学的依据，因为各个企业在实现其竞争力增长的过程中必须充分考虑实现的可能性，而限制范围的投影模型针对普通C^2R模型的缺陷，为企业制定了切实可行的目标。

表4.2 按行业分竞争力投影

Table4.2 The Competition Capability Projection According to Standard of Industries

行　业	N	Out1	Out2	Out3	Out4	Out5	Out6	Out7
仪器仪表	15	5.21	5.42	4.51	5.15	4.68	5.03	4.99
建筑材料	6	5.49	5.60	5.07	4.95	4.68	5.22	5.87
化工	17	5.72	5.44	5.19	4.93	4.60	4.84	5.75
电气设备	13	5.30	5.69	4.67	5.29	4.78	5.47	5.55
电子	32	5.64	5.38	5.13	5.04	4.85	4.64	5.69
食品	7	5.54	5.62	4.67	4.93	5.04	4.53	5.99
普通设备	15	5.55	5.45	4.98	5.44	4.65	5.26	5.43
金属制品	9	5.72	5.29	4.69	4.70	4.36	4.96	5.38
冶金	4	5.30	4.20	4.14	3.76	3.54	5.83	5.83
汽车	6	6.00	5.24	5.10	4.67	4.33	4.93	5.61
非金属制品	9	5.00	4.50	4.99	4.48	4.27	4.25	4.75
制药	10	5.99	5.29	4.96	5.21	4.74	4.93	5.13
出版印刷	7	5.87	5.67	5.10	5.31	4.89	5.01	5.86
特殊设备	8	6.00	5.27	4.99	4.84	4.27	4.00	5.28
纺织	24	5.62	5.33	5.17	5.07	4.45	5.51	5.37
总计	182	5.61	5.40	4.95	4.98	4.61	4.99	5.58

注：$Out1$—市场份额；$Out2$—销售增长率；$Out3$—出口率；$Out4$—利润增长率；

　　$Out5$—生产率增长率；$Out6$—新产品销售率；$Out7$—商业化成功的新产品比例。

　　将竞争力投影值确定为企业竞争力的高标（Benchmark），克服了以往笼统给定高标值的缺陷。下面给出电子行业的高标定位结果来说明企业竞争力状况分析的过程，如表4.3和图4.5所示。

　　可以看出，各个竞争力指标（$Out1$—$Out7$）的参照标准是它们的投影值，根据各指标增长的难易性和企业整体目标，竞争力投影为不同指标设立了不同的高标。因此，电子行业要实现企业创新能力与竞争力之间的有效关系，就必须在竞争力上有明显的加强。

表4.3　电子行业企业竞争力的实际值和投影值（高标）
Table4.3　The Real Value and Benchmark of The Enterprise Competition Capability
in The Electronics Industry

竞争力指标	$Out1$	$Out2$	$Out3$	$Out4$	$Out5$	$Out6$	$Out7$
实际值	3.85	3.40	2.90	2.75	3.40	4.64	4.60
投影值（高标）	5.64	5.38	5.13	5.04	4.85	5.00	5.69

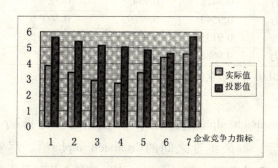

图4.5　电子行业竞争力的高标定位审计
Figure4.5　The Fixed Benchmark of The Competition Capability in
The Electronics Industry

2. 基于创新绩效的企业创新能力评价

（1）企业创新能力与创新绩效指标相互关系的确定

在前面对企业创新能力进行评价时，将创新能力划分为学习能力、研究开发能力、生产制造能力、市场营销能力、资源配置能力、组织创新能力和战略计划能力共7个维度，每个创新能力维度所包括的指标数目取决于该维度变量的复杂程度和涵盖范围。企业根据自身的努力程度和执行效果对创新能力指标进行评价。在这里，这些数据对被用来企业创新能力和创新绩效之间的关系进行统计分析。

表4.4描述了所调查企业的创新能力与创新绩效之间的关系，表中 α 值是用来检验调查数据可靠性的Cronbach alpha值。其中第一行的 α 值是指7个维度数据之间的Cronbach alpha值；第二列的 α^1 是指每个维度内部

表4.4　企业创新能力与技术创新绩效的相关分析
Table4.4　Analysis on the Relation Between Innovation Capability
and Innovation Performance

N=213	α=0.9602		Pearson相关系数	
	α^1	α^2	创新产品销售比例	创新率
学习能力	0.9181	0.9538	0.283**	0.257**
R&D能力	0.9395	0.9566	0.443**	0.365**
生产制造能力	0.8767	0.9586	0.383**	0.304**
市场营销能力	0.9418	0.9543	0.325**	0.317**
组织创新能力	0.9549	0.9489	0.360**	0.316**
资源配置能力	0.9135	0.9531	0.389**	0.395**
战略计划能力	0.9688	0.9517	0.368**	0.338**

注：** $p<0.01$（代表在0.01水平显著，下同）

指标之间的Cronbach alpha值；第三列所给出的α^2是指7个维度之间，将本维度去除后，剩余维度之间的Cronbach alpha值，尽管没有准确的Cronbach alpha取值范围，但是van de Ven等认为0.35可作为其最小取值。由表4.4可以看出，企业创新能力维度内部的Cronbach alpha取值均高达0.87以上，企业创新能力维度之间的Cronbach alpha取值均高达0.94以上，表明所获得的数据具有良好的内部一致性，调查结果具有很好的可信度。

Pearson相关分析结果显示，7个创新能力维度指标均与企业创新绩效有显著的正相关性。其中，企业创新产品销售比例与R&D能力之间关系最紧密，企业创新率与资源配置能力之间的相关最显著，其他6个指标也与企业创新产品销售比例和创新率有显著的（在0.01显著水平上）正相关性。分析结果表明，企业创新能力的整体提高与创新绩效的提高是一致的，二者之间密不可分。

为了进一步探讨企业创新能力对创新绩效的作用，把企业划分为创新绩效高的企业与创新绩效低的企业，然后对它们各自的创新能力进行描述性统计和独立样本T检验。应用独立样本T检验可以分析两组样本均值的显著性差异。分析结果见表4.5和表4.6。

表4.5 创新能力的独立样本T检验（按创新产品销售比例分组）

Table4.5 Independent Sample *T* Inspection of Innovation Capability (Divided into Groups by Sale Rate of Innovation Product)

企业创新能力	创新绩效高企业（89）		创新绩效低企业（124）		独立样本T检验值及其显著性
	均值	标准差	均值	标准差	
学习能力	4.9151	0.8702	4.4812	1.0066	3.280**
R&D能力	4.6946	0.7953	4.0421	1.0444	4.952**
生产制造能力	4.9230	0.9393	4.3908	0.9163	4.137**
市场营销能力	4.8257	0.8357	4.3111	0.9256	4.246**
组织创新能力	5.0506	0.8961	4.6137	0.9565	3.375**
资源配置能力	4.7813	0.8790	4.2909	1.0015	3.707**
战略计划能力	5.2753	0.9479	4.7298	1.0322	3.934**

注：划分企业创新绩效高的标准为创新产品销售比例大于20%，下同。

表4.5、表4.6列出了企业7个创新能力指标在两类企业间的差距以及显著性检验。采用企业创新产品销售比例划分企业后，可以看到两类企业的各项创新能力都存在显著差异（在0.01显著水平上）。而采用创

表4.6 创新能力的独立样本T检验（按创新率分组）

Table4.6 Independent Sample *T* Inspection of Innovation Capability (Divided into Groups by Innovation Rate)

企业创新能力	创新绩效高企业（72）		创新绩效低企业（141）		独立样本T检验值及其显著性
	均值	标准差	均值	标准差	
学习能力	4.8426	0.8612	4.5705	1.0172	1.941#
R&D能力	4.6103	0.8356	4.1639	1.0448	3.174**
生产制造能力	4.9568	0.9065	4.4377	0.9426	3.851**
市场营销能力	4.8133	0.8196	4.3858	0.9438	3.265**
组织创新能力	5.1097	0.9161	4.6362	0.9366	3.516**
资源配置能力	4.8088	0.9414	4.3361	0.9646	3.411**
战略计划能力	5.3461	0.9461	4.7595	1.1098	4.068**

注：# $p < 0.1$（代表在0.1水平上显著，下同）

新率划分企业，7个维度中有6个均在0.01显著水平上存在显著性差异，仅在学习能力上，两类企业在0.1显著水平上有显著差异。数据表明，无论用哪个创新绩效指标来划分企业，创新绩效高的企业的创新能力均明显高于创新绩效低的企业。由此从实证上支持了创新能力确实是企业获取竞争优势的重要内在基础，也表明所建立的研究方法论和分析框架的可行性和实用性。

（2）考虑环境因素的DEA评价模型的应用

现以10个造纸厂为例对企业绩效进行分析。各厂的设备、工艺水平相当，都生产相似的纸制品。选定的输入为资金、劳动、纤维素、能源，分别用$x1$、$x2$、$x3$和$x4$表示；环境残余物为生物需氧量、总浮游物、氧化硫和颗粒物，记为$z1$、$z2$、$z3$和$z4$；产出为纸制品，用$y1$表示。每个工作日按8小时计算，投入的原料折合成标准纸浆。具体数据见表4.7和表4.8。

表4.7　输入输出数据与变量
Table4.7　Input–Output Data and Variables

决策单元	输　入				输出
	$x1$	$x2$	$x3$	$x4$	$y1$
工厂1	4069.00	138412	52492.52	46147.09	52040.15
工厂2	4485.83	136086	53699.47	49737.90	46349.20
工厂3	4169.68	140253	50740.64	45837.47	53821.06
工厂4	4336.85	143285	55487.61	48738.64	58335.63
工厂5	3489.02	128943	46479.73	45524.53	50758.40
工厂6	4007.81	129836	58281.28	49846.33	47339.21
工厂7	3803.93	140678	55022.68	41072.36	52009.20
工厂8	4485.83	155736	57699.47	49737.90	46349.20
工厂9	3769.04	126954	50103.84	48583.86	55978.04
工厂10	4029.41	142316	52331.91	47004.20	54827.85

表4.8　环境残余物数值表

Table4.8　The Value of Environment Remaining Materials

决策单元	环境残余物			
	z1	z2	z3	z4
工厂1	1385.20	945.41	1469.25	153.65
工厂2	1363.53	981.45	1424.42	172.33
工厂3	1639.98	968.96	1421.11	142.85
工厂4	1657.94	998.67	1320.69	157.69
工厂5	1515.85	793.97	1309.84	164.08
工厂6	1672.78	879.00	1396.01	170.66
工厂7	1488.36	938.41	1170.90	161.63
工厂8	1663.53	981.45	1544.42	172.33
工厂9	1500.72	799.55	1501.47	183.68
工厂10	1523.59	921.19	1280.86	161.72

利用模型（4-7）、（4-9）、（4-11）和（4-12）以及不考虑环境因素的模型（2-11）含松弛变量的形式，计算出不同工厂的效率如表4.9所示。

表4.9　各工厂的绩效数值

Table4.9　The Efficiency Value of Each Factory

决策单元	效率数值				
	V_I	$V_{L'}$	V_G	V_O	V_D
工厂1	1.0000	1.0000	1.0000	1.0000	0.9430
工厂2	1.0000	1.0000	0.9165	0.9065	0.7968
工厂3	1.0000	1.0000	1.0000	1.0000	0.9919
工厂4	1.0000	1.0000	1.0000	1.0000	1.0000
工厂5	1.0000	1.0000	1.0000	1.0000	0.9795
工厂6	0.9880	0.9894	0.8539	0.8420	0.8626
工厂7	1.0000	1.0000	1.0000	1.0000	1.0000
工厂8	0.8735	0.9073	0.7809	0.7754	0.7737
工厂9	1.0000	1.0000	1.0000	1.0000	1.0000
工厂10	1.0000	1.0000	1.0000	1.0000	0.9836

从表4.9可以看出，用模型（4-7）和（4-9）评价时，工厂1—5、工厂7、工厂9和工厂10的效率均为1，且松弛变量S⁻和S⁺均为零，因此它们都是有效率的，即都处在生产前沿面上。而工厂6和工厂8是DEA无效率的，模型（4-9）的解大于模型（4-7）的解，这是因为模型（4-7）的可行解均为模型（4-9）的可行解。当生产可能集满足锥性时，工厂2、工厂6和工厂8不是DEA有效的，应当进行改进。当用不考虑环境因素的模型评价时，由于没有对环境残余物的排放限制，大多数工厂均不处在生产前沿面上。这说明考虑环境因素的评价更符合实际。

第四节　DEA灵敏度分析

由于DEA方法是一种非参数方法，对它进行统计假设检验比较困难，同时DEA又是借助于已知的输入输出数据对决策单元进行评估的一种方法，而输入、输出数据的采集又难免出现误差，所以，应对DEA方法进行灵敏度分析。

本书利用数学规划方法确立了一种基于保持有效性分类的模型，分别得到有效单元和无效单元保持有效性分类的充分和必要条件。在此基础上，对于所有单元同时变化的一种情形进行讨论，提出了最坏条件下DMU保持有效性分类的充分条件。从理论上探讨输入输出的相对误差对DEA的有效性分类造成的影响。

一、有关定义及定理

对于n个决策单元，每个决策单元都有m项输入，s项输出，分别用两个向量$(x_{1j}, x_{2j}, \cdots, x_{mj})$和$(y_{1j}, y_{2j}, \cdots, y_{sj})$代表第$j$个决策单元DMU$_j$的输入向量$x_j$和输出向量$y_j$，一般来说，$x_{ij} > 0, (i = 1, \cdots, m; j = 1, \cdots, n)$。

定义1：（支配）DMU$_0$对应的(x_0, y_0)被支配，当且仅当存在(x, y)，

使得（x,y）=（x_0,y_0）。

定义2：（扰动集）对DMU$_0$，称集合

$$S（\varepsilon）=\{[(1\pm\varepsilon_1)\,x_0,\,(1\mp\varepsilon_2)\,y_0|0\leqslant\varepsilon_1,\varepsilon_2\leqslant\varepsilon]\}$$

为DMU$_0$的扰动集，其中$\varepsilon>0$。

定义3：（稳定点）对某个DMU$_0$，若存在$\varepsilon_0>0$，使得$S（\varepsilon_0）$中的点相对于扰动后的生产可能集其有效性分类与DMU$_0$保持一致，则称DMU$_0$为稳定点。

定义4：（不稳定点）称DMU$_0$为不稳定点，当且仅当$\forall\varepsilon>0$，其扰动集$S（\varepsilon）$中的点相对于扰动后的生产可能集同时包含有效点和非有效点。

下面首先给出本书基于有效性分类的模型：

$$（4-13）\quad\begin{cases}\min（\gamma_1-\gamma_2）\\[2mm]\displaystyle\sum_{j=1,j\neq j_0}^{n}\lambda_j x_{ij}\leqslant（1+\gamma_1-\gamma_2）x_{ij_0},i=1,\cdots,m\\[2mm]-\displaystyle\sum_{j=1,j\neq j_0}^{n}\lambda_j y_{rj}\leqslant-（1-\gamma_1+\gamma_2）y_{rj_0},r=1,\cdots,s\\[2mm]\lambda_j（j\neq j_0）\geqslant0\\[2mm]\gamma_1,\gamma_2\geqslant0\end{cases}$$

用上述模型来分析第j_0个决策单元DMU$_{j_0}$的有关性质，以下用x_{i_0}代表x_{ij_0}，用y_{r_0}代表y_{rj_0}，用DMU$_0$代表DMU$_{j_0}$。

显然，对任何的DMU$_0$，模型（4-13）可行集非空 $[\lambda_j=0（j\neq j_0）]$，$\gamma_1=1$，$\gamma_2=0$为一可行解，并且模型（4-13）的最优值 $\gamma^*=\gamma_1^*-\gamma_2^*\in[-1,1]$。

可以得到以下结论：

（1）模型（4-13）的最优基可行解中，γ_1和γ_2至少有一个不在最优基中。

（2）若模型（4-13）的最小值为零，则DMU$_0$为不稳定的，即任何输入或输出的变化都会改变其有效性的分类；否则①DMU$_0$无效当且仅当γ_2在最优基中；②DMU$_0$有效当且仅当γ_1在最优基中。

（3）若模型（4-13）的最小值为零，则DMU$_0$为不稳定的；否则①DMU$_0$无效当且仅当模型（4-13）的最小值小于零；②DMU$_0$有效当且仅当模型（4-13）的最小值大于零。

二、单个DMU变化时保持有效性分类的条件

假设DMU$_0$作如下变化：

$$\begin{cases} \hat{x}_0 = (1 + \gamma_1 - \gamma_2)\, x_0 \\ \hat{y}_0 = (1 - \gamma_1 + \gamma_2)\, y_0 \end{cases} \tag{4-14}$$

其中，$-1 < \gamma_1 - \gamma_2 < 1$，以使变化后的DMU$_0$的输入输出值均大于零。

当模型（4-13）的最优值不为零时，有以下结论：

（1）当模型（4-13）的最优基可行解中 γ_1 在最优基中时，①按式（4-14）变化时，若 $0 \leqslant \gamma_2 < \gamma_1^*$，$\gamma_2 = 0$，则变化后的DMU$_0$保持有效；②若按式（4-14）变化后DMU$_0$保持有效，若 $\gamma_2 = 0$，则必有 $0 \leqslant \gamma_1 < \gamma_1^*$。

（2）当模型（4-13）的最优基本解中 γ_2 在最优基中时，①按式（4-14）变化时，若 $\gamma_1 = 0$，$0 \leqslant \gamma_2 < \gamma_2^*$，则变化后的DMU$_0$保持非有效；②若按式（4-14）变化后DMU$_0$保持非有效，若 $\gamma_1 = 0$，则必有 $0 \leqslant \gamma_2 < \gamma_2^*$。

三、所有DMU同时变化保持有效性分类的条件

由于各DMU同时变化的情形比较复杂，因此只研究一种特殊情形，即其余DMU按与DMU$_0$的变化趋势相反的方向变化的情形，称之为最坏情形。DMU$_0$仍按式（4-14）变化，其余DMU的变化如下式：

$$\begin{cases} \hat{x}_j = \dfrac{1}{(1 + \gamma_1 - \gamma_2)} x_j, \\ \hat{y}_j = \dfrac{1}{(1 - \gamma_1 + \gamma_2)} y_j, \end{cases} \quad j = 1, \cdots, n;\ j \neq j_0 \tag{4-15}$$

下面根据模型（4-13）得出各个DMU同时变化时保持有效性分类的一些结果。

当模型（4-13）的最优值不为零时，有下面结论成立：

（1）当 γ_1 在最优基中时，若式（4-14）与式（4-15）中 $0 < \gamma_1 < (1+\gamma_1^*)^{0.5}-1$，$\gamma_2=0$，则 DMU_0 相对于扰动后的生产可能集保持有效；

（2）当 γ_2 在最优基中时，若式（4-14）与式（4-15）中 $\gamma_1=0$，$0 < \gamma_2 < (1+\gamma_2^*)^{0.5}-1$，则 DMU_0 相对于扰动后的生产可能集保持无效。

本书提出的模型（4-13）可以推广到 C^2GS^2 模型，只需在模型中加入相应的对 $\sum\limits_{j=1,j\neq j_0}^{n}\lambda_j=1$ 的限制条件即可。而本书的有关定理在这些模型下仍然成立。

四、算例

从北京航空航天大学经济管理学院官建成等人的调研数据中任取了10个企业的数据，选取对企业的创新起关键作用的两个指标——企业的R&D能力和企业的营销能力作为输入，并且选取最能体现创新型企业竞争力水平的两项经济绩效指标——企业的销售额年增长率和企业的年利润增长率作为输出，来验证本书提出的灵敏度分析方法。

表4.10 输入输出调查数据

Table4.10 The Input–Output Investigation Data

DMU	DMU1	DMU2	DMU3	DMU4	DMU5	DMU6	DMU7	DMU8	DMU9	DMU10
x_1	4.50	3.70	5.50	3.30	5.60	3.60	4.90	4.80	6.50	5.80
x_2	4.08	3.85	4.77	3.31	5.08	3.38	4.77	4.08	6.00	5.77
y_1	4	3	5	4	5	3	5	5	7	6
y_2	4	4	5	4	5	4	5	4	6	6

数据来源：北京航空航天大学经济管理学院的官建成等人项目组实证调查。

表4.11　C²R模型计算结果

Table4.11　The Result of C²R Model

DMU	有效性	γ_1	γ_2	变化范围
DMU1	N	——	0.1042	0.0508
DMU2	N	——	0.0571	0.0282
DMU3	N	——	0.0710	0.0349
DMU4	E	0.0791		0.0388
DMU5	N	——	0.0114	0.0057
DMU6	N	——	0.0105	0.0052
DMU7	N	——	0.0710	0.0349
DMU8	E	0.0070	——	0.0035
DMU9	N	——	0.0210	0.0104
DMU10	N	——	0.0750	0.0368

[注] 其中E表示有效单元，N表示无效单元，——表示不在基中。

　　表4.10是北京地区的10个企业的数据，其中x_1表示企业的R&D能力，x_2表示企业的营销能力，y_1表示企业的销售额年增长率所得分值，y_2表示企业的年利润增长率所得分值。所有数值均采用Likert 1—7打分法得到。

　　利用模型（4-13），得出各DMU都为稳定点，其中对DMU$_i$（i=4，8）计算时，γ_1在最优基中，因此为有效单元。利用DMU$_i$（i=1，2，3，5，6，7，9，10）计算时γ_2在最优基中，因此为无效单元。同时，还得到各个单元保持有效性分类的变化范围以及各DMU在最坏条件下保持有效性分类的比例变化范围如表4.11中第五列。

　　从表4.11中结果可以看出，此例中所有单元的稳定性均较强。

第五章 基于DEA的企业技术创新项目技术评价模型研究

第一节 企业技术创新项目技术评价的基本原则

企业技术创新项目的技术评价是以企业在技术创新项目中拟采用的新技术作为评价对象，评价涉及众多复杂的技术、经济和社会因素，为了得到科学的评价结论，必须针对技术创新项目的特点建立相应的评价指标，并在此基础上应用科学的评价方法，从企业的长远发展目标和其所处的内外部环境条件出发，对待选的创新技术进行的一种全面而系统的预先评价。

为了保证评价结果的可靠性和实用性，评价时必须遵从以下基本原则：

1. 系统性原则

创新技术的评价，无论从评价对象及其所处的内外部环境、还是从评价的理论方法以及评价工作的组织及程序等方面来看，都具有系统性的特点，因此，必须从系统的原则出发，从企业所处的内外部环境和创新技术的具体特点出发，对整个企业系统和各方面的相关要素进行深入的分析和评价，才能得出符合实际的评价结论。

2. 客观性原则

创新技术的评价必须实事求是，据实比较、据理论证，评价所用的数据资料应尽可能真实可靠，评价过程中的判断应尽可能客观公正。

3. 动态性原则

企业所处的内外部环境在技术创新项目实施过程中是不断地发展变化的，国家政策、市场需求、科技进步必将从各个方面对企业的生存发展环境产生影响。因此，创新技术的评价必须要坚持动态性原则，从动态发展角度来认识创新技术的评价问题，结合企业的现状，详尽分析企业在未来不同发展时期内外部经济环境可能发生的变化并预测这些变化对企业生存发展的影响，特别要重点分析这些变化与企业拟采用的创新技术的相互作用关系，用发展的观点来认识现实的技术评价问题。

4. 协调性原则

创新技术的评价必须注重企业当前利益和长远利益的协调一致，必须注重技术的先进性和适应性的统一，必须注重技术效果和经济效果的统一，必须立足于使企业的资源条件与所选择的技术能达到最佳的协调配合，以发挥最大的效力。

5. 定性分析与定量分析相结合的原则

创新技术的选择既有定性因素，又有定量因素；既需要定性分析，又需要定量分析。两者相辅相成、相互补充、不能偏废。因此，在评价时必须将两者有机结合起来，各取其长，在准确的定性分析的基础上力求使评价判断定量化，以期更好地给出评价结论。

6. 技术先进而且适用的原则

创新项目的技术评价既要高度重视所选技术的先进性，也要高度重视所选技术的适用性。仅有先进性但与市场需求和企业实力不相适应的高新技术，对该企业而言就不是一项好技术。只有与企业的资源实力和市场需求相适应的安全技术才称得上是好技术。

7. 经济效益原则

企业进行技术创新的根本目的，是通过技术创新提高企业的竞争实力，扩大企业的生存空间，追求长期持久的经济效益。坚持经济效益的原则就是要把经济效益的优劣作为创新项目技术选择的主导性依据，决定技术的取舍。

8. 社会效益原则

企业是现代工业社会的细胞，企业的生存发展离不开社会的政治、经济、文化和自然生态环境的健康发展。因此，创新项目的技术评价必须要兼顾到社会效益，必须与国家在相应时期的社会经济政策、产业政策、环保政策一致，力求取得最好的社会效益。

第二节 企业技术创新项目技术评价的指标分析

企业技术创新项目的技术分析评价指标可以分为定性指标和定量指标两类指标。定性指标包括项目的技术有效性、适用性、可靠性、复杂性、先进性、可替代性和易模仿性。定量指标主要是技术的科技含量，即项目产品的技术水平。

一、企业技术创新项目技术评价的定性指标

1. 项目技术的有效性

项目技术的有效性，是指被评价的技术是生产、生活所需要的，并确实能完成所需要的功能，是项目技术对项目预期的设计目标的保证程度，包括产品的性能、功能、质量、成本等，主要是通过对项目技术相对于相关技术标准的适应程度进行分析得出项目技术的有效性结论。

2. 项目技术的适应性

项目技术的适应性，是指项目技术对项目实施环境的适应程度，实施环境包括法律环境、政策环境、资源环境等。项目技术的适用性描述了技术适用的难易程度和广泛性。当一项技术可以广泛应用时，技术的风险必然下降；反之，技术的适用条件非常苛刻，则风险必然增大。对技术的适用性的考察主要是通过对宏观环境的各要素进行调查分析和预测得出评价结论，主要有以下几方面内容：①技术适用行业的多少；②技术是否受国情、地理条件与自然资源的制约；③技术与市场上现有标准；④产品是否兼容；⑤技术是否能够被灵活应用或改进以适应市场的需要。适应性分析主要是有效地把握国家宏观环境对项目的支持程度，从而使项目技术能够充分发挥其关键作用。

3. 项目技术的可靠性

项目技术的可靠性，是指项目技术的来源的确定性和相关技术资料的正确性、完整性、统一性，是项目技术接近最后产品的程度及产品在规定条件下和规定时间内无故障地发挥其特定功能的概率，要求工程技术和产品技术的完善。项目技术的可靠性主要是通过对技术研究和开发

过程的评价以及对相关技术资料（特别是试验报告和鉴定报告）进行审查来分析项目技术的可靠性。

4. 项目技术的复杂性

项目技术的复杂性，是指项目技术的研究与开发的复杂和艰难程度。一项技术的复杂性越高其由技术过渡到产品并投向市场的过程中越容易出现问题。一般该项分析是由专家通过项目技术的分析比较得出结论。

5. 项目技术的先进性

项目技术的先进性，是指项目技术对当今全球科学技术先进成果的运用程度。项目技术先进性的判断标准一般通过查新、检索国内外同类技术达到的参数来确定处于何种水平。技术的先进性是技术具有投资价值的前提，独创、先进的技术可以为企业和产品带来独特的优势。

6. 项目技术的可替代性

项目技术的可替代性，是指项目技术对同类型技术的替代程度和新技术对项目技术的替代程度，即用不同方法实现同一功能的技术。当替代技术完全能实现同样功能，同时在可靠性、成本等方面更胜一筹时，待投资技术风险就加大了。另外，当现有的替代技术还没有达到上述程度时，也要事先预测一下替代技术的发展趋势，是否在不久的将来就会对待投资的技术和产品构成威胁。项目技术的可替代性主要是通过对比目前同类型技术的优劣和当代先进科学技术前沿的发展成果，分析项目技术的前景与发展趋势。

7. 项目技术的易模仿性

易模仿性技术一旦被成功模仿，就会丧失优势地位。技术创新因为是突破性的，一般在产品上市不久就会被竞争者利用逆向工程发现技术关键所在，失去优势；而工艺技术创新由于是渐进积累性的，一般由企业内部人员经过长期实践摸索而得，所以容易保密，可以长期不被模仿。申请专利在一些情况下可以减少模仿的发生。

二、企业技术创新项目技术评价的定量指标

作为技术创新项目，能否达到预期的经济效益，能否通过项目建设形成产业和推动技术进步，其关键的决定性因素就是技术创新项目的科技含量。科技含量高更能保证项目的稳定、持续发展，项目的发展后劲足，发展潜力大，也就能够取得更大的经济效益；反之，则必定进入重复建设，恶性竞争，项目无法达到预定经济目标。因此，进行企业技术创新项目的技术评价时，首先必须对项目的科技含量进行分析，这是项目技术定量分析的主要指标。

项目科技含量评价在技术创新项目决策中具有极其重要的作用，有必要对项目的科技含量作出定量的衡量，以使项目决策更具科学性。

技术创新项目的科技含量，其显性的因素包括项目所采用的设备、工艺、管理、物耗、环保五个主要因素。因此，将该五个影响因素定量化表达则可以间接地得出科技含量的指数。

1. 项目所采用设备的平均技术等级

设备，是现代化的生产工具，是社会生产力的重要组成要素，是人类改造自然能力的物质标志，生产工具越先进，标志着人对自然界认识和支配能力越强，也就意味着生产力水平越高。因此，项目的技术水平首先在设备的技术水平上反映出来，设备的技术水平越高、越先进，就越容易取得效果。将设备技术等级分为 A、B、C、D、E 五档，其分级情况见表5.1。

表5.1 项目关键设备技术分级表

Table5.1 The Key Equipment Technology Grade of Project

档 次	设备技术状况	记 分	备 注
A	国际先进水平	6	
B	国内先进水平	4	
C	国内一般水平	2	
D	国内落后水平	1	
E	淘汰水平	0	

　　每一项目所选设备并非一台（套），而是多台（套），并且常常是各台（套）的技术水平等级不一样，因此，考核项目设备的技术水平等级用平均技术水平等级来考虑，其公式为：

$$J_d = \frac{\sum\limits_{i=1}^{n} ST_i \times St_i}{\sum\limits_{i=1}^{n} St_i} \qquad (5-1)$$

式中：J_d——关键设备平均技术等级；

　　　ST_i——同档次设备的台（套）数；

　　　St_i——设备分级等级分。

　　通过上式得到的J_d，即是项目可选用设备的平均技术等级分。它的高低，表达了项目技术本身的先进程度。

　　2. 项目所采用的工艺的先进程度

　　工艺是指系统的工业流程、材料的加工方法和过程，即从原料到形成项目产品的全过程可采取的方法。就某一特定项目而言，其选择的工艺是否先进，是否代表当今水平，所反映的正是项目本身技术水平的高低。将工艺状况分为A、B、C、D、E五档，如表5.2所示。

表5.2 项目所选工艺等级分档表

Table5.2 The Technological Grade of Project

档 次	工 艺 水 平	记 分	备 注
A	国际先进水平	6	
B	国内先进水平	4	
C	国内一般水平	2	
D	国内落后水平	1	
E	淘汰工艺	0	

通常项目可选工艺是多项的，而其工艺水平又各不一样，因此，应以平均工艺水平来考核。

$$G_d = \frac{\sum G_g}{n} \qquad (5-2)$$

式中：G_d——工艺水平平均等级分；

G_g——各项工艺水平等级分；

n ——工艺项目数。

G_g的高低，表达了项目可选用工艺的先进程度。

3. 项目所需的管理水平

技术创新项目的计划、实施、经营需要高水平的管理才能有效地进行。管理也是科学技术，管理的主要任务是：合理组织生产力，保证各项工作有序高效地进行，同时不断调整企业间的各种协作关系。项目所需的管理水平越高则表明项目的技术水平越高。将管理水平归纳为七档进行评分（G_l），见表5.3。

4. 项目的物耗水平

资源是不可再生的，当今科技发展的重要目标之一就是以最少的资源创造更多的人类价值。不同的生产力水平，物耗是不同的。生产力水

表5.3 管理状况等级分档表

Table5.3 The Management Situation Grade of Enterprise

档次	管 理 状 况	记分	备注
A	现代化管理，ISO9000，ISO14000贯标	6	
B	约束机制，监督机制，激励机制健全的集约管理，ISO9000贯标	5	
C	有一定约束、监督、激励机制的集约管理，ISO9000贯标	4	
D	有一定的约束、监督、激励机制的粗放型管理，ISO9000未贯标	3	
E	各种机制基本健全的一般管理	2	
F	各种机制不太健全的一般水平管理	1	
G	简单原始的管理	0	

平越高，对自然的认识、支配能力越强，材料的利用率、代用率等都得到提高，工艺性材料损耗、非工艺性材料损耗和能源消耗都有效地减少，项目原料的配比也不断优化、合理，使原料消耗降低。因此项目的物耗水平（包括原料消耗，辅料消耗，能源消耗等），不单直接影响项目生产产品的成本和经济效益，也影响着项目的科技含量。

将物耗水平简单地分为A、B、C、D四档，物耗水平用W_d表示。

表5.4 物耗水平分档表

Table5.4 The Resource Consumption Level Grade

档 次	物耗水平状况	记 分	备 注
A	国际先进水平	6	
B	国内先进水平	4	
C	国内一般水平	2	
D	国内落后水平	0	

5. 项目的环保水平

环境保护是当今世界极其重视的一项造福世代的工程，环境保护也是我国的一项基本国策。任何项目偏离这一基本国策不单会给项目的建设带来困难，埋下隐患，直接影响经济效益，影响项目进展和发展。而且，环境保护涉及科学技术方面的问题，都是深层次的，既反映项目技术的先进、完善、合理、科学性，也反映项目所采用工艺的先进、合理、科学性。

项目的环保状况用H_d表示，可根据国家环保法规分为四档，见表5.5。

表5.5 环境状况评分表

Table5.5 Environment Condition Grade

档次	环境保护状况	记分	备注
A	无污染源，环境保护好	6	
B	有污染源，治理措施落实，治理效果好	4	
C	有污染源，治理措施落实，治理未达标	2	
D	污染源的不治理	0	

6. 项目科技含量的衡量指数

项目科技含量的衡量是项目所选设备的平均技术等级、项目所采用工艺的先进程度、项目所实施的管理水平、项目所达到的物耗水平和项目环保状况五个因素的综合，即：

$$U_i = J_d + G_d + G_l + W_d + H_d \tag{5-3}$$

U_i称为项目科技含量的衡量指数，简称为项目科技指数。

科技指数的大小，反映项目的科学技术性程度，这是项目开发的重要基础，是选择项目的重要根据。科技指数低，科学技术性低，项目发展前景不容乐观，在选择、开发时必须慎重研究。表5.6列出了项目科技指数的几种情况。

从表5.6可见，当科技含量指数的各种因素都处在B档，即国内先进水平时，科技指数U_i值为21。而若项目某种因素处于落后状态时，则科技含量指数将低于21，此时项目基本上将无法保证能顺利进行。因此，要保证项目开发有一定科技含量，保证项目开发具有实际意义，科技指数U_i必须满足：$U_i \geqslant 21$。

表5.6 科技含量指数的几种情况

Table5.6 The Various Situations of Science and Technology Index

情况	指标及其档次					科技含量指数U_i
	J_d	G_d	G_l	W_d	H_d	
1	A	A	A	A	A	30
2	B	A	A	A	A	28
3	C	A	A	A	A	26
4	B	B	A	A	A	26
5	B	B	B	A	A	25
6	B	B	B	B	A	23
7	B	B	B	B	B	21
8	C	B	B	B	B	19
9	C	B	C	B	B	18
10	C	B	C	C	B	16
11	C	C	C	C	C	12
12	D	D	D	D	D	5

科技含量指数是衡量企业技术创新项目可行与否的重要参数。项目科技指数$U_i<21$，从表5.6中清楚地看到，不仅设备选用在国内达不到先进水平（或者是属于淘汰范围的设备），而且项目所采用的工艺先进性也不够（或者是已属淘汰的工艺）；同时，项目所实施的管理水平不高，项目的物耗指标高，环境保护状况差，特别是项目所采用的工艺是落后的工艺，对环境污染严重，这使得项目开发后不能有效地组织均衡生产，生产率低、成本高，环保治理包袱重，项目发展将受到严重制约。因此，在可能的条件下，应该尽量提高科技含量指数的水平，通常情况下项目科技指数宜大于或等于21（即$U_i \geqslant 21$）。

当然，科技含量指数是从项目的一些重要侧面对项目的科技含量进行的定量的描述，作为技术创新项目尚可从许多方面对其科技含量进行描述。

第三节 基于DEA的技术评价模型

DEA方法自1978年问世以来，作为判断决策单元是否有效的工具，它在政治、经济、军事、医疗、服务等领域的应用成就是卓著的。有关学者的研究表明，用DEA方法进行技术评价是可行的。不过，考虑到技术评价的特点（如投资大、风险高、定性与定量并存等），必须对DEA模型加以适当的改造和完善。Khouja的两阶段法、Sexton等人的交叉系数矩阵、Anderson等人的RCCR（Reduced C²R）模型就是在这方面做了有益尝试。然而，从整体上看，这些改进举措都存在着这样或那样的问题，甚至具有明显的不足之处。所以，本书拟总结这些已有的方法，利用DEA方法提出评价技术及其相关排序问题的新方法。

一、C²R模型在项目技术评价中存在的问题

为了论述方便，把DEA中应用最广泛的C²R模型重述如下：

$$
\begin{cases}
\max \sum\limits_{y} O_{ky} v_{ky} \\
\sum\limits_{y} O_{sy} v_{ky} - \sum\limits_{x} I_{sx} u_{kx} \leqslant 0, \quad s=1,2,\cdots,n \\
\sum\limits_{x} I_{kx} u_{kx} = 1 \\
u_{kx}, v_{ky} \geqslant 0
\end{cases}
\quad (5\text{-}4)
$$

其中，O_{ky} 是第 k 个决策单元在输出指标 y 上的测量值；I_{kx} 是第 k 个决策单元在输入指标 x 上的测量值；v_{ky} 是第 k 个决策单元对应于输出指标 y 的权系数；u_{kx} 是第 k 个决策单元对应于输入指标 x 的权系数。

有 n 个决策单元，每个决策单元都存在多种类型的输入与输出，决策单元 k 的多指标效率值 E_{kk} 可以通过式（5-5）计算：

$$E_{kk} = \frac{\sum\limits_{y} O_{ky} v_{ky}}{\sum\limits_{x} I_{kx} u_{kx}} \qquad\qquad (5-5)$$

如果$E_{kk}=1$，则称决策单元k是DEA有效的；若$E_{kk}<1$，则称决策单元k是非DEA有效的。

从模型（5-4）可以看出，直接用C²R中的多指标效率值评价技术存在如下问题：

其一，原始的C²R模型只能分辨出决策单元是DEA有效还是非有效，即将群体一分为二，不具备对决策单元进行分级、排序的能力。

其二，通过对模型（5-4）进一步分析可知，用于计算效率值的权系数只在对被评价单元k最有利（使其效率值最大）的特定范围内取值，容易形成夸大长处、回避缺陷，以自评为主的氛围，产生表面上DEA有效，但在互评和排序中却处于不利地位的伪有效单元（False Positive Unit）。

其三，DEA有效决策单元对应于多目标规划的有效解，但并非所有的多目标规划有效解均为DEA有效。所以，DEA方法有排斥、拒绝某些可行方案的可能。

其四，求解模型（5-4）时，若目标函数值等于1，往往会出现无穷多个最优解，使项目技术评价失去意义。

二、对DEA改进方法的评析

针对上述问题，国外有关学者做了许多研究和改进工作，归纳起来大致有以下几方面：

1. 利用多目标决策技术进行二次开发

Khouja开发的两阶段方法是应用于技术评价的最早尝试。他把DEA模型作为过滤器，先用C²R模型对各决策单元进行有效性评价，借此去掉非DEA有效的单元；然后，再用多指标效用函数方法对留下来的决策单元进行评判、筛选与排序。显然，该方法的主要问题在于，它既没有克服DEA方法固有的突出自我的缺陷，又可能过早地删除了虽然非DEA有效，但却是多目标规划有效解的实用单元。

2. 利用RCCR模型对决策单元排序

1993年，Anderson等人通过把被评决策单元k的效率值小于等于1的约束从模型（5-4）中去掉，得到了缩减的C^2R模型，即RCCR（Reduced C^2R）模型（5-6）：

$$\begin{cases} \max \sum_y O_{ky}\,v_{ky} \\ \sum_y O_{sy}\,v_{ky} - \sum_x I_{sx}u_{kx} \leqslant 0, \quad s=1,2,\cdots,n,s \neq k \\ \sum_x I_{kx}u_{kx}=1 \\ u_{kx},\,v_{ky} \geqslant 0 \end{cases} \quad (5-6)$$

由于RCCR模型扩大了被评决策单元k的取值空间，拉开了各决策单元效率值之间的距离，因此，可以直接利用RCCR模型计算出的效率值对所有的决策单元进行评价与排序，但是该方法解决不了伪有效单元问题。

尽管Sarkis（1997）通过引入权系数的取值范围限制缓解了伪有效单元的影响，但是，由于人们对技术的认识和理解存在差异，使得权系数的界定有较多的主观性、局限性和随意性。

3. 利用交叉效率矩阵对决策单元进行排序

Sexton等人于1986年引入交叉效率和交叉效率矩阵的概念。他们定义决策单元s相对于决策单元k的交叉效率值为：

$$E_{ks} = \frac{\sum\limits_{y} O_{sy} v_{ky}^*}{\sum\limits_{x} I_{sx} u_{kx}^*} \qquad (5\text{-}7)$$

其中，v_{ky}^*、u_{kx}^* 分别是由模型（5-4）求出的决策单元k的最优输出、输入权系数；定义交叉效率矩阵CEM为：

$$CEM = \begin{bmatrix} E_{11} & E_{12} & \cdots & E_{1n} \\ E_{21} & E_{22} & \cdots & E_{2n} \\ \cdots & \cdots & \cdots & \cdots \\ E_{n1} & E_{n2} & \cdots & E_{nn} \end{bmatrix} \qquad (5\text{-}8)$$

并按公式（5-7）分别计算出各个决策单元的平均交叉效率值：

$$\overline{E}_s = \frac{\sum\limits_{k} E_{ks}}{n} \qquad (5\text{-}9)$$

最后，根据平均交叉效率值（记为AXEF）的大小，确定各个决策单元的优劣和次序。

客观上讲，该方法在一定程度上解决了产生伪有效单元的问题，但由于DEA模型均为线性规划模型，常常会遇到具有无穷多个最优解的情况。1994年，Doyle和Green开发了两种被称之为进取型和仁慈型的处理方法。进取型方法通过求解模型（5-10）选取权系数，而仁慈型的方法则是将模型（5-10）的目标函数由"极小化"改为"极大化"。

$$\begin{cases} \min \sum\limits_{y} \left| v_{ky} \sum\limits_{s \neq k} O_{sy} \right| \\ \sum\limits_{x} \left| u_{kx} \sum\limits_{s \neq k} I_{sx} \right| = 1 \\ \sum\limits_{y} O_{ky} v_{ky} - E_{kk}^* \sum\limits_{x} I_{kx} u_{kx} = 0 \\ \sum\limits_{y} O_{sy} v_{ky} - \sum\limits_{x} I_{sx} u_{kx} \leq 0 \qquad s = 1, 2, \cdots, n, \ s \neq k \\ u_{kx}, \ v_{ky} \geq 0 \end{cases} \qquad (5\text{-}10)$$

其中，E_{kk}是通过模型（5-4）求出的最优效率值。可以看出，这两种处理方法实际上是在对被评决策单元最有利的无穷多个最优加权系数中，挑选出对其他决策单元的综合单元最不利（或较为不利）的一组加权系数，但仍难避免突出自我，产生伪有效单元的问题；而且，它的计算工作量很大。

三、项目技术评价的新型DEA模型

从上述回顾中不难看出，DEA及其改进方法都没有很好地解决伪有效单元问题，其根本原因在于，被评决策单元k既是被评价对象（目标函数极大化），又兼任着裁判（被评决策单元输入的线性组合等于1）这一执法角色。正是这一双重身份，使得被评决策单元能充分利用优势指标突出自我，奠定了自评在有效性评价和单元排序中的主导地位，增加了区分决策单元优劣的难度。与此同时，人们也逐步失去了从整体上把握群体特性的机会。

为了改变上述思维定式，有必要回顾一下社会活动中的评优办法，并从中获得一些有益的启发。在社会评优活动中，人们可以先给定一个统一的高标准，然后把个体放进标准中全面度量；也可以民主评议，由参评者根据自己的经验和判断，对被评对象打分，最后汇总结果，排出先后；或者，将这两种方法组合后使用。这些方法都充分体现了群体在各个方面（指标）的优势。如果排除某些不正常的人为因素干扰，基于统一标准和公众民主评判的办法，更能有效地避免以假乱真、以次充好的情况发生。

将社会评优活动中的这些思想应用于DEA评价项目技术的具体实践，提出如下的改进设想和举措：

1. 手电筒方法（TM，Torch Method）

手电筒是一种照明工具，它的最大特点是持有人用自己的需要、标准去审视被检查对象。借用它，可以形象地解释DEA评价的一种新举措。

在C²R和RCCR模型中，最优解v_{ky}^*、u_{kx}^*是根据被评单元k的自身条件确定的。若以此标准量度单元k，显然有自我炫耀、自我欣赏之嫌；但是，若用它度量其余（$n-1$）个单元的效率，就好像现实生活中爱挑剔的人，用手电筒（对自己有利的自我标准）去审视他人的长短一样。如果每个单元都用手电筒"审视"其余（$n-1$）个单元，或者，每一个单元都经受其他（$n-1$）个单元的"照射"，那么，最经得起众多单元挑剔的单元，无疑具有良好的质地。

基于以上的分析思路，把交叉效率矩阵中的自评部分去掉，即删除E_{kk}（k=1，2，$\cdots$，n），有希望形成更符合实际、公众更能接受的结果。在此基础上，进一步定义修正后的平均效率为：

$$\overline{E}_s^* = \frac{\sum\limits_{k \neq s} E_{ks}}{n-1} \qquad (5-11)$$

为区分方便，将基于C²R模型的修正平均效率记为CCR/TM；基于RCCR模型得到的修正平均效率则记为RCCR/TM。

2. **群体标准法**（GSM，Group Standard Method）

所谓群体标准法，它源于这样几方面的思考：

第一，根据数理统计理论，平均值是被观测总体的一个基本数学特征。在项目技术评价中，反映了被评价的项目技术群体的技术现状和平均水平。

第二，C²R模型的生产可能集是一个多面凸锥，由群体平均值构成的平均值单元仍在该生产可能集中。而且，一般来说，离生产可能集前沿面越近，离平均值越远的单元越具有好的特性。

第三，在一个群体中，如果把某个被评单元k移走，则平均值单元和余下的（$n-1$）个单元就会形成一个新群体。如果被移走单元在原来的生产可能集前沿面上，且具有良好的特性，那么，去掉它后，平均值单元以及其他单元的多指标效率值应得到改善；如果被移走单元表现平平，在与不在一个样，那么，平均值单元和其他单元的多指标效率值将维持原状。从线性规划的角度看，在C²R模型中，有效单元与接近生产可能集前沿面的单元（指接近DEA有效的单元），在约束中一般以紧约束或接近紧约束的形式出现。根据线性规划的特性，如果去掉紧约束，线性规划的可行区域一般会得到改善，从而将影响目标函数的最优值；如果去掉松弛约束，则对可行区域、目标函数值没有任何影响。总之，被评单元的去、留能够反映出它对新群体效率值影响的程度，即能反映被评单元k的作用大小。

第四，由于平均值单元和其他单元所形成新群体的DEA效率值与被评单元k的作用有关，又由于被评单元的指标值已经反映在平均值单元中，所以，在新群体中，通过优化平均值单元的指标构成，再把平均值单元的最优加权系数v_{ky}^*、u_{kx}^*（即优势指标构成）作为评价单元k的标准，不仅能使平均值单元和被评单元建立起有机联系，而且也使评价工作更趋于全面、民主和科学。

根据上述想法，得到如下的分析模型：

$$
\begin{cases}
\max \sum_{y} \overline{O}_{ky} v_{ky} \\[2ex]
\sum_{y} O_{sy} v_{ky} - \sum_{x} I_{sx} u_{kx} \leqslant 0 \quad s=1,2,\cdots,n, s \neq k \\[2ex]
\sum_{x} u_{kx} \overline{I}_{kx} = 1 \\[2ex]
u_{kx}, v_{ky} \geqslant 0
\end{cases}
\quad (5-12)
$$

其中，$\overline{O}_{ky} = \dfrac{1}{n} \sum_{s} O_{sy}$

$$\overline{I}_{kx} = \frac{1}{n} \sum_s I_{sx}$$

可以看出，该模型既有公众标准（见目标函数以及约束条件），又有个体施展才华的机会（见$s \neq k$的限制条件）。除此之外，该模型还有下列特点：

第一，由于被评单元k的输入、输出已反映在平均值单元中，下标k仅仅表明当前正在为单元k制定公众评判标准，这与其他方法形成明显的区别。

第二，与C^2R、RCCR不同的是，需要用（5-12）中的最优加权系数（即公众标准）专门计算单元k的效率系数E_{kk}。

如果某些单元的效率系数相等，为区分它们的先后顺序，可以计算这些单元的交叉效率值，并依据平均效率值加以确定。

创新项目技术评价是一项复杂的工作，它既包含技术问题、经济问题、管理问题，又包含资源问题、社会问题等；既有可量化的指标、又有许多不可量化的因素。对于定量因素，可将现成数据拿来使用；对于定性因素，需用专家评判等技巧予以量化。除了量化所有因素外，为了把新方法应用于技术评价的具体实践，还要采纳Doyle和Green的建议，即把"越大越好"的指标确定为模型的输出，而将"越小越好"的指标确定为输入。

四、算例

本书利用关于柔性制造系统（FMS）方面的一个案例，以及C^2R、RCCR、AXEF方法的评价结果来验证企业技术创新项目技术评价新方法。该案例有24个FMS的被评决策单元、8个评价指标，这些指标分别是：

总成本——FMS项目投资费用及经营成本的总和，用TC表示：

开发周期——FMS 项目从准备开始到项目完成投产的一段时间，用TT表示；

员工数量——FMS 项目投入使用时所需员工的数量，用EMP表示；

在制品数量——FMS 项目投入使用时生产系统维持正常生产所需的平均存储水平，用WIP表示；

空间占用量——FMS 项目投入使用时整个系统所需的空间大小，用SR 表示；

产量柔性——在给定的时间内，在FMS上可安排某标准产品生产数量的变化幅度，用VF表示；

品种柔性——在预期的时间内，应用FMS 可以生产产品的品种数量，用PF表示；

工艺柔性——在FMS中每个加工中心完成的平均作业量，用RF表示。

根据Doyle和Green的建议，在应用DEA进行多目标评价时，将评价指标中的TC、TT、EMP、WIP、SR作为DEA模型的输入指标，把VF、PF、RF作为DEA模型中的输出指标。表5.7列出了24个单元在各个指标上的取值情况。

表5.8的第2、第3列给出了应用C^2R模型、RCCR模型的求解结果。从C^2R模型的结果看，24个FMS决策单元中，只有8个单元是非DEA有效的，而且，由于多目标规划的有效解可能是非DEA有效的，所以，不能简单地利用C^2R模型筛选、区分决策单元的优劣。根据有关公式分别计算出24个决策单元的AXEF、CCR/TM、RCCR/TM和GSM值，置于表5.8的第4、5、6、7列。

为了检验CCR/TM、RCCR/TM、GSM方法的合理性、有效性，把RCCR、AXEF、CCR/TM、RCCR/TM、GSM所得到的排序置于表5.9中。

表5.7 备选方案（决策单元）有关数据

Table5.7 The Relevant Data of Alternatives (DMU)

决策单元	输 入					输 出		
	TC	WIP	TT	EMP	SR	VF	PF	RF
A	1.19	98	12.33	5	5.3	619	88	2
B	4.91	297	34.84	14	1.1	841	14	4
C	4.60	418	18.68	12	6.3	555	39	1
D	3.69	147	40.83	10	3.8	778	31	2
E	1.31	377	20.82	3	9.8	628	51	6
F	3.04	173	38.87	4	1.6	266	13	5
G	1.83	202	49.67	13	4.3	46	60	4
H	2.07	533	30.07	14	8.8	226	21	4
I	3.06	898	27.67	2	3.9	354	86	5
J	1.44	423	6.02	10	5.4	694	20	3
K	2.47	470	4.00	13	5.3	513	40	5
L	2.85	87	43.09	8	2.4	884	14	7
M	4.85	915	54.79	5	2.4	439	58	4
N	1.31	852	86.87	3	0.5	401	18	4
O	4.18	924	54.46	4	6.0	491	27	4
P	1.99	273	91.08	3	2.5	937	6	3
Q	1.60	983	37.93	13	8.8	709	39	2
R	4.04	106	23.39	11	2.9	615	91	3
S	3.79	955	54.98	1	9.4	499	46	3
T	4.76	416	1.55	9	1.5	58	2	6
U	3.60	660	3.98	6	3.9	592	29	4
V	3.24	771	52.26	8	1.6	535	61	1
W	3.05	318	35.09	4	9.2	124	25	2
X	1.60	849	62.83	5	7.3	923	60	3
平均	2.94	506	36.92	7.9	4.8	530.4	39.3	3.6

表5.8　决策单元各相关分值

Table5.8　The Various Relevant Value of DMUs

决策单元	CCR	RCCR	AXEF	CCR/TM	RCCR/TM	GSM
A	1.000	2.770	0.589	0.571	0.805	1.704
B	1.000	1.877	0.369	0.342	0.512	0.669
C	0.581	0.581	0.182	0.165	0.253	0.346
D	0.785	0.785	0.287	0.261	0.395	0.467
E	1.000	2.092	0.470	0.447	0.721	0.871
F	1.000	1.269	0.352	0.324	0.354	0.696
G	0.970	0.970	0.213	0.179	0.347	0.487
H	0.554	0.554	0.138	0.121	0.235	0.395
I	1.000	2.391	0.435	0.410	0.656	1.695
J	1.000	1.611	0.398	0.372	0.560	0.841
K	1.000	1.600	0.406	0.380	0.559	1.057
L	1.000	2.808	0.528	0.507	0.775	1.590
M	0.924	0.924	0.260	0.232	0.463	0.577
N	1.000	2.719	0.419	0.394	0.587	0.461
O	0.630	0.630	0.197	0.181	0.331	0.433
P	1.000	2.301	0.392	0.366	0.514	0.415
Q	0.811	0.811	0.212	0.186	0.308	0.402
R	1.000	1.871	0.440	0.416	0.636	0.836
S	1.000	2.048	0.306	0.316	0.378	0.367
T	1.000	3.894	0.299	0.269	0.390	1.093
U	1.000	1.665	0.423	0.398	0.580	1.447
V	1.000	1.189	0.259	0.226	0.409	0.426
W	0.377	0.377	0.123	0.110	0.175	0.229
X	1.000	1.108	0.274	0.242	0.401	0.491

表5.9 根据有关指标得到的排序

Table5.9 The Arranged Order According to The Relevant Index

次序	AXEF		RCCR		CCR/TM		RCCR/TM		GSM	
1	0.589	A	3.894	T	0.571	A	0.805	A	1.704	A
2	0.528	L	2.808	L	0.507	L	0.775	L	1.695	I
3	0.470	E	2.770	A	0.447	E	0.721	E	1.590	L
4	0.440	R	2.719	N	0.416	R	0.656	I	1.447	U
5	0.435	I	2.391	I	0.410	I	0.636	R	1.092	T
6	0.423	U	2.301	P	0.398	U	0.580	U	1.057	K
7	0.419	N	2.092	E	0.394	N	0.578	N	0.871	E
8	0.406	K	2.048	S	0.380	K	0.560	J	0.841	J
9	0.398	J	1.877	B	0.372	J	0.559	K	0.836	R
10	0.392	P	1.871	R	0.366	P	0.540	F	0.696	F
11	0.369	B	1.665	U	0.342	B	0.514	P	0.669	B
12	0.352	F	1.661	J	0.324	F	0.512	B	0.577	M
13	0.306	S	1.600	K	0.319	S	0.463	M	0.491	X
14	0.299	T	1.269	F	0.269	T	0.409	V	0.487	G
15	0.287	D	1.189	V	0.261	D	0.401	X	0.467	D
16	0.274	X	1.108	X	0.242	X	0.395	D	0.461	N
17	0.260	M	0.970	G	0.232	M	0.390	T	0.433	O
18	0.259	V	0.924	M	0.226	V	0.378	S	0.426	V
19	0.213	G	0.811	Q	0.186	Q	0.347	G	0.415	P
20	0.212	Q	0.785	D	0.181	O	0.331	O	0.402	Q
21	0.197	O	0.630	O	0.179	G	0.308	Q	0.395	H
22	0.182	C	0.581	C	0.165	C	0.523	C	0.367	S
23	0.183	H	0.554	H	0.121	H	0.235	H	0.346	C
24	0.123	W	0.337	W	0.110	W	0.175	W	0.229	W

通过这些结果可以辨别、筛选出伪有效决策单元。比如，对于决策单元T、S，它们用CCR模型求得的效率值皆是1，用RCCR模型求得的效率值分别是3.894、2.048，虽然都是有效决策单元，但是它们的AXEF、CCR／TM、RCCR／TM的值则分别是0.299、0.269、0.390和0.306、

0.319、0.378，自评值与综合评价值相差悬殊，属于伪有效单元。若需对方案进一步筛选的话，S、T应作为被淘汰之列；若想将所有决策单元进行总排序，可以根据AXEF、CCR/TM、RCCR/TM值的大小来排序，如表5.9所示；若要通过评价仅提供一个备选方案，根据表5.8、表5.9的分析，在FMS项目中A将作为首选者。对表8.12进行简单观察可以看出，决策单元S、T前三项输入都大于平均值，前两项输出都小于平均值，应属于较差的决策单元；而决策单元A的所有输入都小于平均值，前两项输出都大于平均值，理应是好的决策单元。

从表5.9可以看出：

第一，CCR/TM、RCCR/TM与AXEF的排序非常接近。AXEF和CCR/TM都把X、V确定为伪有效单元；RCCR/TM选择V、X、T、S作为伪有效单元；GSM则认定X、V、N、P、S为伪有效单元。RCCR虽然也有排序，但没有识别出可能存在的伪有效单元，16个DEA有效单元仍居前，8个非有效单元在后，和DEA的作用非常接近。

第二，CCR/TM、RCCR/TM、GSM、AXEF都认定A是最好的，W是最差的；而RCCR认为T是最优秀的。从T与平均值单元的比较看，T单元处于序列的中间位置是比较合理的。

第三，尽管方法不同，但排在前10位的都是DEA有效单元，说明DEA方法没有把最好的单元遗失。但由于存在伪有效单元，所以，DEA方法有把部分较好单元拒之门外之忧虑。

第四，在GSM计算中发现，当被评单元被移走之后，仅仅得到7个平均值单元的效率值：{0.679}、{0.598}、{0.600}、{0.752}、{0.571}、{0.589}、{0.581}，它们似乎已经把24个单元自然分成7个层次，即{A}、{I}、{K}、{L}、{T}、{U}以及{B、C、D、E、F、G、H、J、M、N、O、P、Q、R、S、V、W、X}；而且，若单元在GSM中的排名越靠前（T除外），它所对应的平均值单元的效率值一般也越大，这说明，重要单元或特殊单元不在约束之中时，被评价的平均值单元有提高自身地位的趋势。它与现实中移走最先进者，剩余群体的平均水平、总体水平将降低的事实相吻合，从而有力地说明了方法的合理性。

第五，T单元在GSM中的排列位置说明，它在指标TT、SR和RF上的突出表现得到了较好的补偿，与其他方法所得结果相比，它变动的幅度不大。

上述案例的排序结果比较有力地支持了本书的基本构想。而且，与其他方法相比，新方法在项目技术评价中是可行的、在计算上也是高效的。除此之外，通过把评价的任务交给被评价群体，群体内的单元很容易就找到了自己的位置。

第六章　基于DEA的企业技术创新项目风险评价方法研究

第一节　企业技术创新项目风险评价的准则

一、企业技术创新项目风险评价的目的

风险一词在字典中的解释是"损失或伤害的可能性"，通常人们对风险的理解是"可能发生的问题"。一般而言，风险的基本含义是损失的不确定性。

企业技术创新项目风险评价是对企业技术创新项目风险进行综合分析，并依据风险对项目目标的影响程度进行风险分级排序的过程。企业技术创新项目风险评价一般有以下几个目的：

第一，对项目诸风险进行比较分析和综合评价，确定它们的先后顺序；

第二，挖掘项目风险间的相互联系，保障项目风险的科学管理；

第三，综合考虑各种不同风险之间相互转化的条件，明确项目风险的客观基础；

第四，进行项目风险量化研究，进一步量化已识别风险的发生概率和后果，减少风险发生概率和后果估计中的不确定性，为风险应对和监

控提供依据和管理策略。

二、企业技术创新项目风险评价的基本准则

企业技术创新项目风险评价应遵循一些基本的准则：

1. 风险回避准则

风险回避是最基本的风险评价准则。根据该准则，承担项目的企业应采取措施有效控制或完全回避项目中的各类风险，特别是对项目整体目标有重要影响的那些风险因素。

2. 风险权衡准则

风险权衡的前提是项目中存在着一些可接受的、不可避免的风险，风险权衡原则需要确定可接受风险的限度。

3. 风险处理成本最小原则

风险权衡准则的前提是假设项目中存在一些可接受的风险，"可接受的风险"，这里有两种含义：一是小概率或小损失风险，二是付出较小的代价即可避免风险。风险处理的最小成本是理想状态，同时也是难于计算的。因此，可定性地归纳为：若此风险的处理成本足够小，就可以接受此风险。

4. 风险成本效益比准则

开展项目风险管理的基本动力是以最经济的资源消耗来高效地保障项目预定目标的达成。承担项目企业只有在收益大于支出的条件下，才愿意进行风险处置。

5. 社会费用最小准则

在进行风险评价时还应遵循社会费用最小准则。这一指标体现了一个组织对社会应负的道义责任。同样，社会在承担风险的同时也将获得回报，因此在考虑风险的社会费用时，应与风险带来的社会效益一同考虑。

第二节　企业技术创新项目风险评价的指标体系

一、企业技术创新项目的风险因素及其成因分析

1. 企业技术创新项目的风险类型

企业技术创新项目的风险类型主要有：

（1）技术风险

技术风险产生的原因是技术创新项目各阶段都蕴涵着有关技术的不确定性，这些不确定性主要有：①技术成功的不确定性。一项新技术能否研究开发成功，这在项目开始之前或研究过程中是不确定的。②技术效果的不确定性。即使新技术开发成功，技术创新项目在研究开发阶段还是难以估计其最终发展效果。③技术寿命的不确定性。在当今的竞争环境下，技术更新的周期越来越短，如果同一技术或更先进的技术先开发出来，可能会导致技术创新项目的中止。

（2）市场风险

技术创新项目的最终目标是实现其商业价值，但由于项目的研究阶段一般较长，在这段时间里，市场存在很大的不确定性，主要有：①难以确定市场的接受能力。项目开发的新产品，顾客在产品推出后不易及时了解其性能，从而难以确定该产品的接受能力；②难以确定市场接受的时间。新产品推入市场到市场对其产生大量的需求有一个滞后，这个

滞后时间不易确定；③难以确定项目在商业上的竞争力。

（3）环境风险

影响项目的主要环境有：政府宏观经济政策、产业政策、国家法规、社会资源、自然条件和战争等因素。

（4）组织管理风险

技术创新管理人员受到其知识、能力、经验和一些客观条件的限制，若出现决策失误，或者控制、协调、计划不力等因素，都会给项目带来巨大风险。

2. 企业技术创新项目的风险因素分析

现将影响企业技术创新项目的主要风险因素归纳分析如下：

（1）政策因素

国家在一定时期内经济发展的总体规划和区域、部门、产业和行业的发展规划，以及地方政府经济发展规划的影响。凡是与国家和地方政府的经济发展规划方向一致的技术创新项目一般将获得国家和地方政府优惠政策的鼓励和支持，易获得成功；凡是与国家和地方政府的经济发展规划方向相背离的技术创新项目一般将受到国家和地方政府发展政策的限制和制约，难以获得成功。

国家和地方政府的政策、法律、法规的影响。国家和地方政府在一定时期内的经济社会发展政策、科技政策、产业政策、金融政策、税收政策、价格政策、进出口政策、能源政策和环保政策等均对企业技术创新项目的方向、强度、风险的性质和水平具有重要的影响，国家和地方政府在知识产权和经济活动规范方面订立的法律、法规也对企业的技术创新项目风险的性质和水平具有重要的影响。

（2）经济因素

经济发展态势。国家经济形势及其发展态势的好坏、国民经济的总体规模及其增长速度的高低、经济周期的繁荣与萧条阶段属性均对企业技术创新项目的风险水平具有显著的影响。当整个国家的经济发展处于繁荣时期、经济形势和发展态势都很好时，国民经济的总体规模必将达到较高的水平，经济将进入高速增长阶段。此时企业技术创新项目成功的概率一般均好于经济萧条时期。

金融利率水平。一个国家在一定时期的金融利率水平对企业技术创新项目的成功概率也具有相当重要的影响。因为金融利率水平决定了技术创新项目融资成本的高低，进而影响到技术创新项目经济效益的好坏和风险水平的高低。

外汇汇率水平。一个国家在一定时期的外汇政策和外汇兑换率水平对涉及原材料、机器设备和产品进出口的技术创新项目，以及中外合资、合作的技术创新项目的风险具有直接而且重要的影响。外汇汇率水平直接影响着项目的外汇流入和外汇流出，影响着项目的现金流入和现金流出，影响着项目的财务效益和经济效益，从而对技术创新项目风险产生直接的影响。

一般物价水平。一个国家在一定时期内的一般物价水平通过技术创新项目投入产出物的价格直接影响着项目的现金流入和现金流出，影响着项目的财务效益和经济效益，从而对技术创新项目风险产生直接且重要的影响。

（3）工艺技术因素

工艺创新能力。工艺创新能力表现了企业在引进、消化、吸收、再创新和自主地创造性开发和应用新的制造工艺技术方面的能力。这一方面能力的强弱直接地决定着工艺技术创新项目的成败和项目的技术风险水平。

工艺技术的先进程度。工艺技术的先进程度在很大程度上决定着生产效率、生产成本和产品质量水平，对工艺技术创新项目的技术经济效果和风险水平具有直接的影响。

工艺技术的成熟程度。工艺技术的成熟程度表征了技术创新项目的工艺技术的可靠性和稳定性。成熟的工艺技术对于提高生产效率、减低生产成本、提升产品质量具有积极的促进作用，有助于降低工艺技术创新项目的技术风险。

技术的复杂程度。一般来说，复杂程度越高的工艺技术，技术创新项目成功的难度和技术创新项目成功的技术经济效果越大，创新的风险也越大；复杂程度低的工艺技术则恰好相反。

工艺技术的适用程度。工艺技术的适用程度表现了技术创新项目的工艺技术与本企业人力、物力、财力、信息和技术等资源原有基础的协调配合程度，与企业产品制造的效率和质量要求的匹配程度。工艺技术的适用程度越高，技术创新项目的风险就越小。

工艺系统效率。工艺系统效率表现了从原材料进入生产过程到最终产品离开生产过程的整个制造过程中企业工艺技术装备系统的综合加工制造能力，是生产系统效能的一种综合反映，对工艺技术创新项目的成败和风险具有重要的影响。

（4）市场因素

市场需求状况。市场需求状况主要包括市场规模、市场分布、市场增长速度、现实需求和潜在需求的发展变化趋势等方面的内容。市场需求状况在很大的程度上影响着产品创新和工艺创新的方向、速度和规模，是影响技术创新项目成败的主要风险因素。

市场竞争状况。市场竞争状况描述了市场竞争的性质及其程度，主要包括市场结构、本企业与竞争对手的力量对比、产品的价格、质量和服务竞争状况、市场占有率的分布情况和本企业产品的市场份额的高低及其发展变化趋势。市场竞争状况的好坏对企业技术创新项目的风险性质和风险程度具有十分重要的影响。

市场接纳能力。市场接纳能力表示市场接受创新产品的能力，主要包括市场对创新产品的喜好程度和接受速度。这一点对产品创新类项目尤为重要。因为创新产品能否在市场上被消费者所承认和接受，以及承认和接受时间的长短是对创新产品的最终考验，创新产品推向市场以后，如果不能或不能及时地被市场承认和接受，那么创新者不仅不能通过市场实现创新产品的价值、获取市场优势、赢得经济利益，反而会前功尽弃，以至于无法收回创新投资和生产成本，导致灾难性的后果。

产品市场生命期。产品市场生命期的长短直接决定了创新投资收益期限的长短，影响着技术创新项目的风险水平。

产品更新换代速度。产品更新换代速度从另一个角度反映了产品的市场生命期对技术创新项目风险水平的影响。

（5）产品因素

产品的创新程度。一般而言，产品的创新程度越高，技术创新项目所面临的风险也就越大。一种在原理、结构和功能上全面创新的产品，与仅在原理、结构和功能的某一方面有所创新的产品，或在原理、结构和功能的各个方面均略有创新的产品相比，将面临更大的研究开发风险和市场风险。

产品的品牌效应。产品的品牌效应体现了创新产品在商标、专利、形象和商誉等无形资产方面的市场价值。一般而言，产品的品牌效应越强，创新产品所面临的市场风险就越小，创新产品在市场上获得成功的可能性就越大。

产品价格水平。产品价格水平及其变化趋势是影响市场供求状况和创新企业盈利水平的一项关键因素，对技术创新项目的风险具有直接的影响。

产品质量与服务。优秀的产品质量与服务，与低劣的产品质量和服务相比，将会大幅度地减少产品创新项目的风险。

产品性能价格比。产品性能价格比描述了用户支付单位价格所获得的功能的大小。一般而言，产品性能价格比越高，其所面临的商业化风险就越小。

产品的寿命周期成本。产品的寿命周期成本，是采用价值工程的观点测度得出的产品的生产成本和使用成本的总和。产品的寿命周期成本观念，不仅仅站在生产者的角度考虑了生产成本，而且更为重要的是站在消费者的角度考虑了用户的使用成本。一般而言，产品的寿命周期成本越低，创新产品所面临的商业化风险就越小。

产品的安全性和可靠性。通常来说，产品的安全性和可靠性越高，创新产品的商业化风险就越小。

产品的可维修性。产品的可维修性越好，创新产品的商业化风险就越小。

（6）企业的资源和素质因素

人力资源状况。企业员工的数量和质量、员工综合的科技文化素质和能力水平、员工的知识和能力结构、员工的工作干劲和创新精神等人力资源状况，作为最基本的人类工作行为因素影响着技术创新项目的每一方面，因而也影响着技术创新项目的风险水平。

物质资源状况。物质资源状况泛指企业用于研究开发创新和生产经营全过程的物质资源的供应和储备情况，这些物质技术条件是创新项目获取成功的物质保证，并且从不同的方面对技术创新项目产生不同程度的重要影响。

财力资源状况。财力资源状况反映了企业可用于创新项目投资建设和正常运营的经济实力和风险承担能力。其整体的结构、实力和水平直接对创新项目的建设和运营发生作用，在很高程度上影响着创新成功的概率水平。

信息资源状况。在科学技术日新月异、市场形势复杂多变的信息社会里，信息是一项宝贵的资源。企业能否全面、及时、准确、高效地占有必要的信息资源对创新的成败具有重要的影响。

技术资源状况。技术资源状况特指企业在创新产品和工艺的研究开发和制造使用方面所拥有的技术人员、技术装备和无形技术资产的数量、质量、结构、能力和水平，对创新项目的成败具有举足轻重的影响。

生产能力状况。生产能力状况反映了企业的生产系统在一定时期内和正常的生产技术组织条件下所能够出产的合格产品的最大数量，反映了企业的生产规模和生产效率。对于依赖于规模效应的产品创新和工艺创新，规模经济与否直接决定了技术创新项目的经济后果。

经营管理水平状况。经营管理水平反映了企业管理组织的能力和效率，是决定企业技术创新项目成败的又一关键因素。

资本运营能力状况。资本运营能力综合地反映了企业在创新项目投资建设与生产经营的全过程中筹集资金、运用资金、回收资金和增值资金的运营能力，在创新的全过程中自始至终发挥着关键性的作用。

企业家的素质和精神。如果要获得技术创新项目的成功，就需要一个有远见卓识、有创新精神、有胆略、有气魄、有才能的创新的企业家队伍，没有这样一个企业家队伍，技术创新项目的成功是难以想象的。

3. 企业技术创新项目各阶段主要风险因素的成因分析

企业技术创新项目可以划分为创新决策阶段、创新实施阶段和创新实现阶段。创新决策阶段是指从创新建议的提出到最终作出创新项目决策的整个决策期。创新实施阶段是指创新项目的整个投资建设期。创新实现阶段是指创新项目建成后的整个生产运营期。这三个阶段依序相连，构成了技术创新项目的整个寿命期。尽管技术创新项目各个阶段的风险因素依然可以归类为前述的六大方面，但在技术创新项目的不同阶段，主要风险因素的来源构成、表现形式和影响程度都存在着某种程度的差异。因此，应对技术创新项目不同阶段的主要风险因素及其成因作出分析，以便减少和降低决策风险、提高决策质量和决策效益。

（1）创新决策阶段的主要风险因素及其成因

创新决策阶段的风险因素覆盖了上述六个主要方面，但其主要的风险因素一般表现为市场因素、产品因素、工艺技术因素以及企业资源和素质因素。对产品创新类项目而言，在诸多因素中，市场因素和产品因素就显得格外重要。对工艺类创新项目而言，众多的影响因素中，工艺技术因素和企业的资源、素质因素就显得更为重要。主要风险因素的成因来自于信息和决策层面。

信息的不完备性。缺乏全面、准确、及时和有效的信息。这主要导源于信息系统不健全，信息渠道不畅，信息的采集、加工、处理、储存和利用能力不足等方面的原因。

决策能力不足。决策者缺乏创新意识、责任意识和企业家精神，决策组织的结构和功能不健全，决策的程序和方法不科学，决策的约束机制不完备，决策者的知识和能力水准太差等都会造成创新项目决策的失误，导致创新项目的失败。

正是由于信息和决策能力这两个主要方面的原因，导致了相当多数的技术创新项目的失败。失败的具体原因，绝大多数是由于缺乏对创新项目的技术经济预测和评价，在缺少必要的决策信息的情况下盲目决策所造成。

（2）创新实施阶段的主要风险因素及其成因

创新实施阶段的主要风险因素，集中表现为经济因素、技术因素、产品因素以及企业资源和素质因素。其主要表现和成因为：

受宏观经济环境、金融利率、外汇汇率和关税税率变动的影响，使得创新项目投资的资金成本过高、预算严重不足、债务负担过重，超过了企业的资本运营能力和财务资源的允许限度，从而导致创新项目资金短缺、在建工程进展迟缓、工期延误甚至无法完工等早衰或夭折的恶果。

企业的技术开发能力和技术储备水平严重不足、技术资源和技术力量不配套、技术选择的实现难度超过了企业实际可以达到的水平。

工程建设期间企业的计划、组织、指挥、协调等管理能力太差，项目的招标投标管理、施工管理和财务管理混乱无序、工程建设的损失浪费严重，无形中都扩大了创新项目的投资成本。

这一阶段的主要风险因素，有些是企业无法控制但可以预测的外部环境因素，有些是企业能够预测并且能够控制的内部条件因素，通过科学的预测和评价，企业完全有能力做到防患于未然，减少和避免风险。

（3）创新实现阶段的主要风险因素及其成因

创新实现阶段的主要风险因素，突出表现为市场因素、产品因素、技术因素以及企业资源和素质因素，其中市场因素的影响最为强烈，其他因素次之。其主要表现和成因如下：

对市场供求和市场竞争形势与趋势的估计和预测不准，偏差过大；市场开发能力太弱，营销体系和渠道不畅、营销策略和营销方式不当；产品的整体竞争能力弱、品牌效应差、市场份额低、产品的技术性能和经济性能劣于竞争者、质量和服务跟不上等；企业的资源和素质状况与创新的目标不相称，技术创新项目的生产经营体系形成缓慢，不能及时形成高效率竞争所需的经济规模和生产效率；企业的引进、消化、吸收、再创新等持续创新能力和后劲不足。

企业技术创新项目不同阶段的主要风险因素并不是一成不变的，往往因项目的具体特点而具有其特定的内容。只有采用科学的方法对技术创新项目进行全过程的预测、评价和跟踪评价，具体问题具体分析，才能提高企业技术创新项目的技术经济效益，减少和避免其风险。

二、企业技术创新项目风险评价指标体系的构成

企业技术创新项目在研究过程中存在大量的不确定因素。对技术创新项目进行选择与决策就是运用系统的观点，确认项目潜在风险，并对项目风险进行评价分析，从而达到规避风险的目的。分析并评价企业技术创新项目的风险，有着重要的现实意义和战略意义。

首先，对技术创新项目的风险分析，有利于自觉利用风险机制，调

节和促进技术创新项目的发展。

其次，对技术创新项目的风险分析，有利于提高项目相关人员对项目投资风险的认识，在规划、实施技术创新项目过程中增强风险意识。

再次，对技术创新项目的风险分析，有利于提高技术创新项目的管理水平，做好项目投资风险损失的防范工作，把投资风险降到最低，提高技术创新项目的技术经济效率和效益。

根据前面对企业技术创新项目的风险因素及其成因的分析，建立了企业技术创新项目风险评价指标体系（G）。在企业技术创新风险评价指标体系（G）中包括反映企业自身条件的指标和市场环境指标。企业自身条件包括企业资源和素质条件、企业自身的工艺技术条件。

企业资源和素质指标（U_1）具体可细分为：人力资源状况（企业员工的数量和质量、综合科技文化素质、能力水平、创新精神等）；物质资源状况（企业物质资源的数量和质量、现状及趋势）；财力资源状况；信息资源状况（企业信息的采集、加工、储存及传递状况）；企业创新管理水平状况（企业创新管理组织的能力和效率），分别表示为u_1—u_5。

企业的工艺技术指标（U_2）具体细分为：工艺创新能力（企业在引进、消化、吸收、再创新和自主地创造性开发及应用新制造工艺技术方面的能力）；工艺技术的先进程度；工艺技术的成熟程度（反映在创新的工艺技术的可靠性和稳定性方面）；工艺技术系统的效率（整个制造过程中企业工艺技术装备系统的综合加工制造能力），分别表示为u_6—u_9。

市场环境指标（U_3）具体可细分为：市场需求状况（市场规模、市场分布、市场的增长速度、现实需求和潜在需求的发展变化趋势）；市场竞争状况（市场竞争的性质及市场竞争的程度）；市场接纳能力（消费者对创新产品接受与否、接受所需的时间）；产品市场生命期（预测创新产品在市场上的生命期，它决定了创新投资收益期限的长短）。分别表示为u_{10}—u_{13}。

企业技术创新项目的风险评价可将企业资源和素质状况、企业自身工艺技术状况、市场环境状况作为第一层次指标，而将细分的指标作为第二层次指标，如表6.1所示。

表6.1 企业技术创新项目风险评价指标体系

Table6.1 The Risk Evaluation Index System of Technological Innovation Project for Enterprise

	第一层次指标	第二层次指标
企业技术创新项目风险评价指标体系	企业资源和素质指标U_1	人力资源状况u_1
		物质资源状况u_2
		财力资源状况u_3
		信息资源状况u_4
		企业创新管理水平状况u_5
	企业的工艺技术指标U_2	工艺创新能力u_6
		工艺技术的先进程度u_7
		工艺技术的成熟程度u_8
		工艺技术系统的效率u_9
	市场环境指标U_3	市场需求状况u_{10}
		市场竞争状况u_{11}
		市场接纳能力u_{12}
		产品市场生命期u_{13}

第三节 企业技术创新项目风险评价的DEA法

系统的安全性与风险性是近代可靠性工程中研究的重要内容。某些系统常常被置于多种风险之下，这些风险可能涉及多个方面，产生的原因和内部关系也十分复杂。企业技术创新项目风险就是这样的系统风险。因此，合理地分析系统可能出现的各种风险并及时提出相应的对策对提高系统的安全性具有十分重要的意义。本书以DEA方法为基础给出了一种系统风险综合分析方法，该方法的目的是希望从大量的同类事件的统计数据中发现系统风险的最大和最小层面，用被评价点在最大和最小层面上的"投影"来预测风险指标增长的可能趋势、发现风险指标降低的可行方向，进而根据每种风险指标代表的具体情况采取相应的对策。同时，还可以通过最大风险曲面的移动对各决策单元的风险状况进行分类、比较和排序，以及对风险区域进行划分等。

一、DEA模型及相关性质

为了便于应用，首先简单地介绍一下只有输出（入）的DEA模型。

1. 面向指标偏好越大越好的数据包络分析

在根据一些指标的性能来评价若干决策单元时，常常遇到所有指标都越大越好的情况。假设共有n个决策单元，评价指标y_i $(i=1,2,\cdots,m)$ 越大越好，第j个决策单元的第i个指标的值为y_{ij}，记$Y=(Y_1,Y_2,...,Y_m)^T$，$Y_j=(y_{1j},y_{2j},...,y_{mj})^T$，$j=1,2,...,n$，则有以下线性规划问题：

$$\begin{cases} \max \ (\mu^T Y_0 + \delta) = V_P \\ s.t. \ \mu^T Y_j + \delta \leq 0 \quad j=1,2,\cdots,n \\ \quad \mu \geq 0 \end{cases} \qquad (6-1)$$

$$\begin{cases} \min \ (-e^T S) = V_D \\ s.t. \ \sum_{j=1}^{n} Y_j \lambda_j - S = Y_0 \\ \quad \sum_{j=1}^{n} \lambda_j = 1 \\ \quad \lambda \geq 0, \ S \geq 0 \end{cases} \qquad (6-2)$$

多目标规划问题：

$$\begin{cases} V = \max \ (y_1, \cdots, y_m)^T \\ \quad s.t. Y \in T \end{cases} \qquad (6-3)$$

其中 $T=\left\{Y\leqslant\sum_{j=1}^{n}Y_{j}\lambda_{j}\left|\sum_{j=1}^{n}\lambda_{j}=1,\lambda=(\lambda_{1},\lambda_{2},\cdots,\lambda_{n})^{T}\geqslant0\right.\right\}$。

定义1 $Y_{0}\in T$，若模型（6-1）的最优解 $\bar{\mu}$，$\bar{\delta}$ 有 $\bar{\mu}>0$，且 $V_{P}=0$，则称 Y_{0} 对应的决策单元为DEA有效（S）。S表示只有输入或只有输出的单一（Single）情况。

引理1 $Y_{0}\in T$ 以下4个结论等价：①Y_{0} 对应的决策单元为DEA有效（S）；②Y_{0} 为规划模型（6-3）的有效解；③模型（6-2）的最优值 $V_{D}=0$；④存在向量 $\bar{\mu}$、数 $\bar{\delta}$，使 $\bar{\mu}^{T}Y_{0}+\bar{\delta}=0$，$\bar{\mu}>0$，$\bar{\mu}^{T}Y_{j}+\bar{\delta}\leqslant0$，$j=1,2,\cdots,n$。

引理2 若模型（6-2）的最优解为 $\lambda^{0}=(\lambda_{1}^{0},\cdots,\lambda_{n}^{0})$，$s^{0}=(s_{1}^{0},\cdots,s_{m}^{0})$ 且最优值不为0，则 $Y_{0}+S^{0}=\sum_{j=1}^{n}Y_{j}\lambda_{j}^{0}$ 为DEA有效（S）。

2. 面向指标偏好越小越好的数据包络分析

在对所有指标性能都越小越好的情况下，有以下定义和结论：

$$\begin{cases}\min\ (\mu^{T}Y_{0}+\delta)=V_{P_{1}}\\ s.t.\ \mu^{T}Y_{j}+\delta\leqslant0\quad j=1,2,\cdots,n\\ \mu\geqslant0\end{cases}\quad(6-4)$$

$$\begin{cases}\min\ (-e^{T}S)=V_{D_{1}}\\ s.t.\ \sum_{j=1}^{n}Y_{j}\lambda_{j}+S=Y_{0}\\ \sum_{j=1}^{n}\lambda_{j}=1\\ \lambda\geqslant0,S\geqslant0\end{cases}\quad(6-5)$$

$$\begin{cases}V=\min\ (y_{1},\cdots,y_{m})^{T}\\ s.t.\ Y\in T_{1}\end{cases}\quad(6-6)$$

其中 $T_{1}=\left\{Y\geqslant\sum_{j=1}^{n}Y_{j}\lambda_{j}\left|\sum_{j=1}^{n}\lambda_{j}=1,\lambda=(\lambda_{1},\lambda_{2},\cdots,\lambda_{n})^{T}\geqslant0\right.\right\}$。

定义2 $Y_0 \in T$，若模型（6-4）的最优解 $\bar{\mu}$，$\bar{\delta}$ 有 $\bar{\mu} > 0$，且 $V_{P_1} = 0$ 称 Y_0 对应的决策单元为DEA有效（S1）。

引理3 $Y_0 \in T$，以下4个结论等价：①Y_0对应的决策单元为DEA有效（S1）；②模型（6-5）的最优值$V_{D_1} = 0$；③Y_0为规划模型（6-6）的有效解；④存在向量 $\bar{\mu}$、数 $\bar{\delta}$，使 $\bar{\mu}^T Y_0 + \bar{\delta} = 0$，$\bar{\mu} > 0$，$\bar{\mu}^T Y_j + \bar{\delta} \leq 0$，$j = 1, 2, \cdots, n$。

引理4 若模型（6-5）的最优解为 $\lambda^0 = (\lambda_1^0, \cdots, \lambda_n^0)$，$s^0 = (s_1^0, \cdots, s_m^0)$ 且最优值不为0，则 $Y_0 - S^0 = \sum\limits_{j=1}^{n} Y_j \lambda_j^0$ 为DEA有效（S1）。

3. DEA有效的一个充要条件

定义3 若集合P上的一个二元关系（$\leq$）满足自反性、反对称性和传递性，则称二元关系（$\leq$）为一个偏序关系。定义了偏序关系的集合P称为偏序集，记为（P，$\leq$）。

定义4 假设（P，$\leq$）是一个偏序集，$x \in P$对任何的$y \in P$,若$x \leq y$都有$x = y$，则称x是（P，$\leq$）的极大元。

定义T上的二元关系（$\leq_0$）为：$Y_1 \leq_0 Y_2$当且仅当$Y_1 \leq Y_2$；T_1上的二元关系（$\leq_1$）为：$Y_1 \leq_1 Y_2$当且仅当$Y_2 \leq Y_1$（$\leq$即为通常的大小关系），则有以下结论：

定理1 ①Y_0为DEA有效（S）当且仅当Y_0是（T，$\leq_0$）的极大元；

②Y_0为DEA有效（S1）当且仅当Y_0是（T，$\leq_1$）的极小元。

可见，DEA有效单元本质上就是某个偏序集的极大元。DEA有效(S)实际上表示决策单元的全部指标的整体性能在某种偏好下达到极大。

二、预测最大风险、估计最小风险层次的DEA方法

共有n个同类决策单元，每个决策单元均有若干种风险，对它们的

风险可能有多种分类方法，可以根据产生的原因、事故的类型或被作用的对象进行分类。假设根据评价的目标所建立的指标体系由 m 个风险指标组成，每种指标为事故发生的频率和后果严重性的组合乘积，记第 j 个决策单元的第 i 种风险指标的值为 R_{ij}，则向量 $R_j = (R_{1j}, R_{2j}, \cdots, R_{mj})^T$ 就代表了该类决策单元的一种风险状况。若 $\lambda = (\lambda_1, \lambda_2, \cdots, \lambda_n)^T \geq 0$ 且 $\sum_{j=1}^{n} \lambda_j = 1$，则组合 $\sum_{j=1}^{n} R_j \lambda_j$ 也被认为是一种可能的风险情况。当考虑最大风险时，不妨将 $Y \leq \sum_{j=1}^{n} R_j \lambda_j, Y = (y_1, y_2, \cdots, y_n)^T$ 也纳入考虑的范围，当参考点的数目足够多时，状态集

$$T_{max} = \left\{ Y \leq \sum_{j=1}^{n} R_j \lambda_j \,\middle|\, \sum_{j=1}^{n} \lambda_j = 1, \lambda = (\lambda_1, \lambda_2, \cdots, \lambda_n)^T \geq 0 \right\}$$

中的极大元就构成了若干超平面，超平面上的点基本上能够反映决策单元的风险指标可能达到的极大值。这样就可以根据决策单元在这些超平面上的投影来预测风险指标可能达到的最大值。进而根据每种风险指标代表的具体情况采取相应的对策。

定义满足 $\overline{\mu}^T R_0 + \overline{\delta} = 0$，$\overline{\mu} > 0, \overline{\mu}^T R_j + \overline{\delta} \leq 0$，$j = 1, 2, \cdots, n$ 的 $\overline{\mu}, \overline{\delta}$ 确定的超平面 $\overline{\mu}^T Y + \overline{\delta} = 0$ 与状态集 T_{max} 的交集为最大风险曲面。

若决策单元不在某个最大风险曲面上，则应用模型（6-2）计算时最优值不为零。假设最优解为 $\lambda^0 = (\lambda_1^0, \cdots, \lambda_n^0)$，$s^0 = (s_1^0, \cdots, s_m^0)$ 称 $R_0 + S^0$ 为决策单元在最大风险曲面上的投影。它表示决策单元各项风险指标继续增长后可能达到的一种极大状态，这一状态下各项风险指标的值不可能继续增长，除非降低某个指标代表的风险。

当考虑目前决策单元的各种风险减小的可能性以及可能降低到的最小风险层次时，将条件 $Y \leq \sum_{j=1}^{n} R_j \lambda_j$ 改成 $Y \geq \sum_{j=1}^{n} R_j \lambda_j$ 后的状态集为：

$$T_{\min}=\left\{Y\geqslant\sum_{j=1}^{n}R_j\lambda_j\,\middle|\,\sum_{j=1}^{n}\lambda_j=1,\ \lambda=(\lambda_1,\lambda_2,\cdots,\lambda_n)^T\geqslant0\right\}$$

状态集$T_{\min}$中的极小元也构成了若干超平面。可以根据决策单元在这些超平面上的投影来估计各项风险可能降到的最小值，发现系统调整的可行方向。

定义满足$\bar{\mu}^TR_0+\bar{\delta}=0$，$\bar{\mu}>0$，$\bar{\mu}^TR_j+\bar{\delta}\geqslant0$，$j=1,2,\cdots,n$的$\bar{\mu}$，$\bar{\delta}$确定的超平面$\bar{\mu}^TY+\bar{\delta}=0$与状态集$T_{\min}$的交集为最大风险曲面。若决策单元不在某个最小风险曲面上，则表示该单元的某些风险指标还可能继续降低，这时应用模型（6-5）计算时最优值不为零。假设最优解为$\lambda^0=(\lambda_1^0,\cdots,\lambda_n^0)$，$s^0=(s_1^0,\cdots,s_m^0)$，称$R_0-S^0$为决策单元在最小风险曲面上的投影。它表示决策单元的各项风险指标继续降低后可能达到的一种极小状态，这一状态下各项风险指标不可能继续降低，除非加大某个风险指标的值。

上面通过定义极大风险曲面和极小风险曲面的办法从整体上分析了决策单元的风险降低和升高的可能性，估计了风险可能达到的极大状态和可能降低到的极小状态，进而根据决策单元是否在这两个曲面上来判断在某种偏好下风险指标是否达到了极好或极坏。其实，应用这两种曲面在状态集中的移动还可以对决策单元的风险性进行分类和排序，也可应用若干超平面划分风险区域等。

三、企业技术创新项目风险排序的DEA评价方法

假设所有决策单元的集合为$S=\{R_j|j=1,2,\cdots,n\}$，应用模型（6-2）进行评价时，DEA有效决策单元的集合为S^D，$gS^D=\{gR_j=(gR_{1j},\cdots,gR_{mj})^T\}$，称$g$为移动因子。

对于gS^D有以下性质：

定理2 设$sub \subseteq S\backslash S^D$，记$sub \cup gS^D$中所有相对于$sub \cup gS^D$中的单元为DEA有效（S）的决策单元的集合为$(sub \cup gS^D)^D$，若任何$R_j \in sub$都有$R_j \notin (sub \cup gS^D)^D$，则必有$(sub \cup gS^D)^D = gS^D$。

定理2表明，在$(sub \cup gS^D)^D$中的决策单元确定的可能集中，若Sub中的任何决策单元都不在最大风险曲面上，则gS^D中的单元必都在最大风险曲面上。

定理3 假设$S^D = \{R_{ji} | i = 1, \cdots, n_1\}$则有：

$$T = \left\{ Y \leqslant \sum_{j=1}^{n} R_j \lambda_j \, \middle| \, \sum_{j=1}^{n} \lambda_j = 1, \lambda \geqslant 0 \right\}$$

$$= \left\{ Y \leqslant \sum_{i=1}^{n_1} R_{ji} \lambda_{ji} \, \middle| \, \sum_{j=1}^{n} \lambda_j = 1, \lambda \geqslant 0 \right\}$$

由于DEA有效单元都是偏序集的极大元，由极大元的定义和定理3知：在$(sub \cup gS^D)^D$中的决策单元确定的可能集中，当Sub中的单元均为无效单元时，最大风险曲面由gS^D中的决策单元决定。

定义5 称f为两个偏序集（$P, \leqslant_1$）和（$Q, \leqslant_2$）之间的一个序同构，若$f: P \rightarrow Q$是一个双射，且对任何$x, y \in P$满足$x \leqslant_1 y$当且仅当$f(x) \leqslant_2 f(y)$。

定义T_{max}和T_{sub}上的偏序关系均为通常的大小关系，则有以下结论：当Sub中的单元均相对$sub \cup gS^D$中的单元为DEA无效时，$sub \cup gS^D$中的决策单元确定的可能集T_{sub}与S中的决策单元确定的可能集T_{max}之间存在序同构。

定义映射$f: T_{max} \rightarrow T_{sub}$为$f(Y) = gY$，由于$g > 0$，可以证明$f$是$T_{max}$和$T_{sub}$之间的一个序同构。

移动极大风险曲面排序方法的步骤如下：

步骤1：对S中的决策单元应用模型（6-2）进行评价，记DEA有效决策单元的集合为S_1^D，选定一组移动因子$1 > g_1 > g_2 > \cdots > g_k > 0$，令$k = 2$。

步骤2：对集合$(S \backslash \bigcup_{i=1}^{k-1} S_i^D) \bigcup g_{k-1} S_1^D$中的决策单元应用模型（6-2）考

察它们的相对有效性，记DEA有效决策单元的集合为W。

步骤3：记$S_k^D=W\backslash g_{k-1}S_1^D$，若$S_k^D\neq\phi$，执行步骤4；否则执行步骤6。

步骤4：对集合 $(S\backslash\bigcup_{i=1}^{k-1}S_i^D)\bigcup g_{k-1}S_1^D$中的决策单元应用模型（6-2）考察它们的相对有效性，记有效决策单元的集合为W。

步骤5：若$g_{k-1}S_1^D\neq W$，令$S_k^D=S_k^D\bigcup(W\backslash g_{k-1}S_1^D)$执行步骤4；否则执行步骤6。

步骤6：$(S\backslash\bigcup_{i=1}^{k}S_i^D)=\phi$或$k>K$则停止；否则，令$k=k+1$，执行步骤2。

这样就得到了S中决策单元的一个分类：$S_1^D>S_2^D>\cdots>S_P^D$。

通过DEA有效前沿面移动对决策单元进行排序的办法是针对风险事件的分类和排序给出的，它是否适用于其他分类和排序问题有待进一步研究。

该方法模型简单、理论完备，和其他方法相比它特别适合于具有多种风险的复杂系统。这主要表现在：

（1）在估计决策单元的最大风险层次时，它以决策单元的风险指标的权重为变量，从最"有利"决策单元的角度进行评价，不仅避免了确定各种风险指标在优先意义下的权重，而且还较好地体现了风险的极大性原则。

（2）该方法不必确定各风险指标之间可能存在的某种显性关系，这就排除了许多主观因素，不仅增强了评价结果的客观性，而且还会使问题得到简化。

对于某些系统，各种风险产生的原因比较复杂，尤其较多地涉及人为因素时，由于人本身就是一个复杂的巨系统，因而，对风险的分析将变得更加困难。上述方法把对一个系统的整体风险分析转化为某些方面、某些局部或者某些子系统的风险分析，不仅为简化整体风险分析提供了一种可行的思路和办法，而且更重要的是它能为决策层提供许多有用的信息。

四、算例

在对某一企业内若干技术创新项目的风险情况进行综合分析时，通过传统的风险评估方法已计算出该企业中9个技术创新项目在一段时间内的单项风险指标数据如表6.2所示。

表6.2 各决策单元的两种风险指标的数据

Table6.2 The Data of Two Kinds of Risk Index on DMUs

决策单元	风险指标1	风险指标2
1	0.560	0.888
2	0.730	0.669
3	0.840	0.827
4	0.891	0.673
5	0.776	0.920
6	0.675	0.773
7	0.967	0.679
8	0.710	0.993
9	0.879	0.832

根据表6.2中的数据就可以应用有效前沿面整体移动方法对各决策单元的综合风险状况进行分类和排序，从而为风险较大的技术创新项目提供降低风险的信息和借鉴的样本。

首先，应用模型（6-2）可算得与各决策单元的风险指标对应的s_1，s_2的值如表6.3所示。

表6.3 应用模型（D）算得的s^1，s^2值

Table6.3 The s^1 and s^2 Worth Caculated by The Model (D)

决策单元	s^1	s^2
1	0.260	0.000
2	0.149	0.163
3	0.039	0.005
4	0.000	0.138
5	0.011	0.000
6	0.204	0.059
7	0.000	0.000
8	0.000	0.000
9	0.000	0.000

从表6.3中的数据可知，决策单元7、8、9的风险指标达到了极大状态，表明相对于其他单元来说风险指标1和2不可能继续增大，要使其中的一个指标增大，除非另一个指标缩小。当分别取$g=0.95, 0.9, 0.85, 0.8$时，按照有效前沿面整体移动方法的步骤进行计算，可算得决策单元风险状况的排序结果为：{单元7、8、9} > {单元3、5} > {单元4} > {单元1} > {单元2、6}，如图6.1所示。

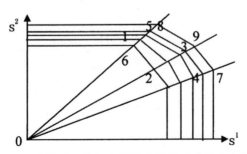

图6.1 决策单元在极大风险曲线移动中的分布情况

Figure6.1 The Distribution of DMUs During The Movement of Maximum Risk Curve

当参考点选择适当时，还可根据上述方法预测风险增长的趋势或发现风险降低的可行方向。

例如，应用模型（6-2）对决策单元3进行计算时，可算得s^1、s^2的值分别为0.039、0.005。这表明从目前获得的样本数据看，决策单元3的两个风险指标均有增大的可能性，两个指标分别增加$0.039/0.84=4.6429\%$和$0.005/0.827=0.6046\%$时就不可能再同时增加，这时就达到了有效的状态。

应用模型（6-5）算得s^1、s^2的值分别是0.11、0.158。这表明从目前获得的样本数据看，决策单元3的两个风险指标均有降低的可能性，并且它们分别降低$0.11/0.84=13.0952\%$，$0.158/0.827=19.1052\%$后，两个风险指标不可能再同时减小。

第七章 企业技术创新项目的模糊综合评价方法研究

企业技术创新项目的综合评价是在对企业各种技术创新项目各方面进行专项评价的基础上，对单项评价内容所作的汇总性和综合性的全面评价，本书在对企业技术创新项目进行综合评价中将模糊综合评判方法和信息熵概念相结合，对基于DEA方法进行的企业技术创新项目的技术与风险等专项评价结果进行综合与集成，得出的综合评价结果将成为决策者所需的项目决策支持的关键内容。

第一节 企业技术创新项目综合评价模型的建立

一、原理

模糊集理论最先是由罗特夫·扎德博士于1965年在《信息与控制》杂志上发表的论文《模糊集合》中提出的，模糊综合评判是在此基础上发展起来的。从众多的单一评价中获得对某个或某类现象的整体评价，称为综合评价。在实际应用中，评价的对象往往受各种不确定性因素的影响，其中模糊性是最主要的，因此模糊综合评判受到高度重视。所谓模糊综合评判是在模糊环境下，考虑了多种因素的影响，为某种目的对某事物作出综合决策的方法。

模糊综合评判是汪培庄教授于1980年在《数学实践与认识》杂志的模糊数学简介一文中首先提出的。它主要分为两步：第一步先按每个因素单独评判；第二步再按所有因素综合评判。其基本方法和步骤如下：

1. 确定模糊综合评判因素集U

因素集是以影响评判对象的各种因素为元素所组成的一个普通集合。通常用大写字母U表示，即：

$$U = \{u_1, u_2, \cdots, u_m\}$$

其中各元素u_i（$i=1,2,\cdots,m$）代表影响评判对象的各种因素。对这些因素的评价，通常都具有不同程度的模糊性。

2. 建立综合评判的评价集（备择集）

评价集是评判者对评判对象可能作出的各种总的评判结果所组成的集合。通常用大写字母V表示，即：

$$V = \{v_1, v_2, \cdots, v_n\}$$

其中各元素v_i（$i=1,2,\cdots,n$）代表各种可能的总评判结果。模糊综合评判的目的，就是在综合考虑所有影响因素的基础上，从评价集中得出一最佳的评判结果。评价集也是一个普通集合。

3. 进行单因素模糊评判，求得评判矩阵R

单独从一个因素出发进行评判，以确定评判对象对评价集各元素的隶属程度，称为单因素模糊评判。

设评判对象按因素集U中第i个因素进行评判，对评价集V中第j个元素v_j的隶属程度为r_{ij}，则按第i个因素u_i评判的结果，可用下面模糊集合表示：

$$R_i = \frac{r_{i1}}{V_1} + \frac{r_{i2}}{V_2} + \cdots + \frac{r_{in}}{V_n}$$

这里R_i称为单因素评判集。显然它应是评价集V上的一个模糊子集，也可简单表示为：

$$R_i=(r_{i1},r_{i2},\cdots,r_{in})$$

于是可得相应于每个因素的单因素评判集如下：

$$R_1=(r_{11},r_{12},\cdots,r_{1n})$$
$$R_2=(r_{21},r_{22},\cdots,r_{2n})$$
$$\cdots\cdots$$
$$R_m=(r_{m1},r_{m2},\cdots,r_{mn})$$

以上述各单因素评判集的隶属度为行组成矩阵：

$$R=\begin{bmatrix} r_{11} & r_{12} & \cdots & r_{1n} \\ r_{21} & r_{22} & \cdots & r_{2n} \\ & & & \\ r_{m1} & r_{m2} & \cdots & r_{mn} \end{bmatrix}$$

称为单因素评判矩阵，其中各元素可用专家评分法，隶属函数法或其他管理数学方法获得。

4. 建立评判模型，进行综合评判

单因素模糊评判只能反映一个因素对评判对象的影响，为了导出所有因素对评判对象的综合结果，需进行综合。

从上述单因素评判矩阵R可以看出：

R的第i行所反映的是第i个因素u_i对评判对象的影响取各个评价集元素的程度；而R的第j列所反映的是所有因素影响评判对象取第j个评价集元素的程度。因此，可用每列元素之和

$$R_j=\sum_{j=1}^{m}r_{ij} \qquad (i=j=1,2,\cdots,n)$$

来反映所有因素的综合影响。考虑到各因素对综合评判的重要程度不同，我们给各因素以不同的权数a_i（$i=1,2,\cdots,n$），其中a_i表示第i个因素在综合评判中的重要程度。于是建立综合评判模型：

$$B=A\odot R$$

其中 $A = (a_1, a_1, \cdots, a_m)$ 为一模糊向量。即有：

$$B = (a_1, a_1, \cdots, a_m) \odot \begin{bmatrix} r_{11} & r_{12} & \cdots & r_{1n} \\ r_{21} & r_{22} & \cdots & r_{2n} \\ & & & \\ r_{m1} & r_{m2} & \cdots & r_{mn} \end{bmatrix}$$

$$= (b_1, b_1, \cdots, b_m)$$

B 称为模糊综合评判结果集；b_j（$j=1,2,\cdots,n$）称为模糊综合评判指标，简称评判指标，其含义为：综合考虑所有因素的影响时，评判对象对评价集中第 j 个元素的隶属度，显然，模糊综合评判结果集 B 也是评价集 V 上的一个模糊子集。

5. 评判指标的处理

求出评判指标 b_j（$j=1,2,\cdots,n$）之后，便可根据以下几种方法确定评判对象的具体结果。

（1）最大隶属度法。取与最大的评判指标 $\max\{b_j\}$ 相对应的评价元素 V_L 作为评判结果，即：

$$V = \{V_L \mid \rightarrow \max\{b_j\}\}$$

最大隶属度法仅考虑了最大评判指标的贡献，舍去了其他指标提供的信息，这是它的一个缺点；另外，当最大的评判指标不止一个时，用最大隶属度法便很难确定具体的评判结果。所以只有当最大的评判指标只有一个，且它比其他评判指标大得多时，最大隶属度法才适用。通常都采用模糊向量单值化法（也称加权平均法）。

（2）模糊向量单值化法。将各评价元素 V 赋值，比如"很好"取为5，"好"取为4，"一般"取为3，"不好"取为1。把 b_j 作为权数，则对各评价元素 V_j 的值进行加权平均，以加权平均值作为评判结果，即：

$$V = \sum_{j=1}^{m} b_j v_j \bigg/ \sum_{j=1}^{m} b_j$$

若评判指标 b_j 已归一化，则

$$V = \sum_{j=1}^{m} b_j p_j$$

（3）模糊分布法。这种方法直接把评判指标作为评判结果，或将评判指标归一化，用归一化的评判指标作为评判结果。归一化的具体做法如下：

先求出各评判指标之和，即：

$$b = b_1 + b_1 + \cdots + b_n = \sum_{j=1}^{n} b_j$$

再用其和b除原来的各个评判指标：

$$B' = \left(\frac{b_1}{b}, \frac{b_2}{b}, \cdots, \frac{b_n}{b}, \right) = (b'_1, b'_1, \cdots, b'_n)$$

B'即为归一化的模糊综合评判集；b'_j $(j=1,2,\cdots,n)$ 即为归一化的模糊综合评判指标，也即b'_j满足：$\sum_{j=1}^{n} b_j = 1$

各个评判指标，具体反映了评判对象在所评判的特征方面的分布状态，使评判者对评判对象有更深入的了解，并能做各种灵活的处理。

（4）隶属度对比系数法。设我们综合评判得到如下表7.1所示。

表7.1　综合评判结果

Table7.1　The Results of the Comprehensive Evaluation

等级	优	良	可	差	劣
隶属度B	0.4	0.6	0.8	0.5	0.2
归一后B'	0.16	0.24	0.32	0.2	0.08

用结构相对数计算隶属度对比系数（这里是优良度）：

$$结构优良度 = \frac{b_{优} + b_{良}}{\sum b_j}$$

$$= \frac{(0.4+0.6)}{(0.4+0.6+0.8+0.5+0.2)} = \frac{1.0}{2.5} = 0.4$$

$$或 = \frac{b_优}{\sum b_j} + \frac{b_良}{\sum b_j} = 0.16+0.24 = 0.4$$

用比例相对数计算隶属对比系数：

$$比例优良度 = \frac{b_优+b_良}{b_差+b_劣} = \frac{0.4+0.6}{0.5+0.2} = 1.43$$

计算隶属度对比系数是对所得综合评判结果B信息的进一步开发。隶属度对比系数可以反映各等级隶属度的内部结构比例情况。结构优良度和比例优良度越高，说明被评判事物隶属于优良等级的程度越高。两个指标的作用大致相同。但反映问题的角度有所区别，结构优良度计算中考虑了中间等级的情况，表明了优良隶属度在全部隶属度中的比重，而比例优良度没有考虑中间等级情况，直接拿优良等级隶属度与差劣等级隶属度对比，表明结构性的比例。

二、模型设计

在上述评判过程中，可以根据各指标的差异程度，利用信息熵确定各指标的权重。

在原始的指标数据矩阵中，对于每项指标，如果各指标值的差距越大，则该指标在综合评价中所起的作用就越大；如果某项指标的指标值全部相等，则该指标在综合评价中不起作用，因此可将该指标剔除，然后再对剩余指标引入信息熵确定其权重。

在信息论中信息熵定义为$H(M) = -\sum P(M_i) \cdot i \cdot \ln P(M_i)$，它表示系统的有序程度。其中，$0 < P(M_i) < 1$，$\sum P(M_i) = 1$。

利用信息熵计算各指标权重的具体步骤如下：

第一，将各项指标同度量化，计算第j项指标下第i个方案指标值的相对比重P_{ij}，$P_{ij}=M_{ij}/\sum M_{ij}$；

第二，计算第j项指标的熵值，即$e_j=-k\sum (P_{ij}\cdot \ln P_{ij})$，其中$k>0,0\leq e_j\leq 1$；

第三，计算第j项指标的差异性系数$g_j=1-e_j$。对于给定的j，M_{ij}的差异性g_j越小，则e_j越大；当M_{ij}全部相等时，$e_j=e_{max}=1$，此时这项指标M_j就不会对评判产生影响，因此该指标就没有作用；当某项指标的值相差越大时，e_j越小，该项指标对于各投资方案的选择，作用就越大。

由此可定义各指标的权重为：$a_j=g_j/\sum g_j$。这样就得到了权重向量$A=(a_1,a_2,\cdots,a_m)$。

模糊关系$R=(r_{ij})$中的各数据实际是各指标的隶属度，即某评价对象在某项指标上关于总评价目的的隶属程度，它是一个大于0小于1的数。

在以前各章基于DEA方法对企业技术创新项目进行单项评价的结果中，除RCCR和GSM两项指标以外的其余各项指标值均符合隶属度的要求。因此，本书在建立综合模糊评价模型时，采用基于DEA 方法取得的单项评价结果作为隶属度，其隶属度函数选取升半Cauchy分布，即：

$$\mu (x)=\begin{cases}0, & x<b \\ \dfrac{1}{1+[a (x-b)]^{-\beta}}, & x>b\end{cases}$$

其中，μ为隶属函数；α,β为参数；x为指标值。可以根据上述隶属函数得出的结果作为隶属度。

第二节　企业技术创新项目综合评价模型的应用

选取九个决策单元进行实证研究，原始数据表7.2所示。

表7.2　基于DEA的单项评价结果数据表

Table7.2　The Data of the Single Evaluation Based on DEA Models

决策单元	技术评价结果				风险评价结果	
	CCR	AXEF	CCR/TM	RCCR/TM	s^1	s^2
1	1.000	0.589	0.571	0.805	0.560	0.888
2	1.000	0.369	0.342	0.512	0.730	0.669
3	0.581	0.182	0.165	0.253	0.840	0.827
4	0.785	0.287	0.261	0.395	0.891	0.673
5	1.000	0.470	0.447	0.721	0.776	0.920
6	1.000	0.352	0.324	0.354	0.675	0.773
7	0.970	0.213	0.179	0.347	0.967	0.679
8	0.554	0.138	0.121	0.235	0.710	0.993
9	1.000	0.435	0.410	0.656	0.879	0.832

利用信息熵确定各指标的权重如表7.3所示。

表7.3　基于DEA的单项评价结果权重

Table7.3 The Weight of the Single Evaluation Indexes Based on DEA Models

指标	CCR	AXEF	CCR/TM	RCCR/TM	s^1	s^2
权重	0.0356	0.139	0.161	0.135	0.019	0.015

对原始数据进行处理后得出的模糊关系矩阵如下：

$$R=\begin{bmatrix} 1.000 & 0.589 & 0.571 & 0.805 & 0.560 & 0.888 \\ 1.000 & 0.369 & 0.342 & 0.512 & 0.730 & 0.669 \\ 0.581 & 0.182 & 0.165 & 0.253 & 0.840 & 0.827 \\ 0.785 & 0.287 & 0.261 & 0.395 & 0.891 & 0.673 \\ 1.000 & 0.470 & 0.447 & 0.721 & 0.776 & 0.920 \\ 1.000 & 0.352 & 0.324 & 0.354 & 0.675 & 0.773 \\ 0.970 & 0.213 & 0.179 & 0.347 & 0.967 & 0.679 \\ 0.554 & 0.138 & 0.121 & 0.235 & 0.710 & 0.993 \\ 1.000 & 0.435 & 0.410 & 0.656 & 0.879 & 0.832 \end{bmatrix}$$

评价结果向量为：

$$B = (a_1, a_1, \cdots, a_m) \odot \begin{bmatrix} r_{11}, & r_{12}, & \cdots & r_{1n} \\ r_{21}, & r_{22}, & \cdots & r_{2n} \\ \cdots & \cdots & & \cdots \\ r_{m1}, & r_{m2}, & \cdots & r_{mn} \end{bmatrix}$$

$B = (\; 0.0356 \quad 0.139 \quad 0.161 \quad 0.135 \quad 0.019 \quad 0.015\;) \odot$

$$\begin{bmatrix} 1.000 & 0.589 & 0.571 & 0.805 & 0.560 & 0.888 \\ 1.000 & 0.369 & 0.342 & 0.512 & 0.730 & 0.669 \\ 0.581 & 0.182 & 0.165 & 0.253 & 0.840 & 0.827 \\ 0.785 & 0.287 & 0.261 & 0.395 & 0.891 & 0.673 \\ 1.000 & 0.470 & 0.447 & 0.721 & 0.776 & 0.920 \\ 1.000 & 0.352 & 0.324 & 0.354 & 0.675 & 0.773 \\ 0.970 & 0.213 & 0.179 & 0.347 & 0.967 & 0.679 \\ 0.554 & 0.138 & 0.121 & 0.235 & 0.710 & 0.993 \\ 1.000 & 0.435 & 0.410 & 0.656 & 0.879 & 0.832 \end{bmatrix}$$

$= (0.789 \quad 0.337 \quad 0.135 \quad 0.190 \quad 0.458 \quad 0.209 \quad 0.169 \quad 0.119 \quad 0.706)$

即决策单元的优劣顺序为：1>9>5>2>6>4>7>3>8。

通过上面的实例可以看出，模糊综合评判对DEA输出的各单项评价指标进行了综合，而且其隶属度矩阵中各数据可以从经过简单处理的DEA输出的各项指标值获得，评价结果接近实际情况，因此可以得出结论，基于DEA的单项输出结果进行模糊综合评价是可行的。

第八章　基于DEA的企业技术创新项目投资决策方法研究

第一节　企业技术创新项目投资方案的类型

技术创新项目投资是指把资金投向蕴涵着较大失败危险的新技术项目，以期成功后取得高资本收益的一种商业行为。高风险、高收益是技术创新项目投资的最主要特点。

项目投资决策，需要提出多个可行方案，通过分析、计算、评价和选优，得出最佳投资方案，以便更好地利用资源，取得较好的经济效益。

项目投资方案的类型不同，其评价方法也不一样。按项目相互之间的经济关系，投资方案大致有以下三类：

独立方案。它是指一组互相独立、互不排斥的方案。各投资方案所需人力、物力和财力均能得到满足，每一方案是否可行，仅取决于本方案的经济效益。

互斥方案。它是指互相关联、互相排斥的方案。在一组方案中的各个方案彼此可以相互代替，采纳方案组中的某一方案，就会自动排斥这组方案中的其他方案，因此，互斥方案具有排他性。

互补方案。它是指在一组方案中，某一方案的接受有助于其他方案的接受，方案之间存在着相互依存的关系。

第二节　企业技术创新项目投资决策的
多准则随机DEA模型

　　技术创新项目是一个多输入（投入）、多输出（产出）、复杂的动态系统，往往具有不同的乃至互相矛盾的目标。价值函数不可避免地涉及人们对价值的认识与理解，从而带有一定的主观性，所以很难找到一个为人们普遍接受的具体表达方式。另外，某些具体的经济技术指标，通常只反映出决策系统所处状态的一个侧面，难以综合反映几个决策方案的整体状况；同时，由于不同时期社会经济环境的变异和自身技术经济条件的变化等，指标体系难以反映出在当时的社会经济环境及各项投入水平下，是否达到了综合产出最大，进而难以明确创新项目决策的方向。这些原因形成了传统决策方法对企业技术创新项目进行投资决策的过程中的困难和障碍，影响了最终决策结果的科学性和准确性。

　　科学的投资决策的关键在于对项目进行客观的评价，在选取的评价指标有多个输入指标和多个输出指标的情况下，数据包络分析是一种有效的客观的评价方法。本书用数据包络分析方法对企业技术创新项目的各种投资方案进行评价，将其排序，以便择优投资。

一、DEA模型的选择

　　DEA模型的选择，一是要看实际经济背景，二是要看评价目的，一般从以下几个方面加以考虑：

　　其一，选用基于输入的DEA模型，还是选用基于输出的DEA模型，这主要看对输入、输出指标的可控性和可处理性。若输入指标不易有较大变动或基本维持在一定水平上，这时选用基于输出的DEA模型较为合适；反之，若输出指标不宜有较大变动，由于对其有严格限制，这时选用基于输入的DEA模型较为合适。

其二，由于具有非阿基米德无穷小的DEA模型，在DMU是否为弱有效以及将原来无效的 DMU投影到相对有效面上，均有方便之处，所以在实际中这一模型常被应用。

其三，就有效性本身而言，C^2R模型是同时针对规模有效性和技术有效性而言的"总体"有效性，而C^2GS^2模型只能评价技术有效性。此外，C^2R模型的生产可能集为闭凸锥，并且是建立在规模收益不变的假设下；而C^2GS^2模型则反映了规模收益可变的情况，对应的生产可能集为凸集。注意这些不同之处，并结合评价目的与实际背景，可帮助选择较适合的模型。

其四，特别地，如果生产可能集为凸锥，输入、输出指标数目较多，特别是由于决策者对输入、输出指标之间的相对重要性有所规定，并要在评价中对此规定有所体现。这时选用有锥结构的模型比较合适。

企业技术创新项目的投资决策，评价的是综合效益，因而可选定基于输出的DEA模型。而C^2R模型，从前沿面角度看，是用来研究具有多个输入，特别是具有多个输出的决策单元。因此，选择基于输出的C^2R模型作为构建企业技术创新项目投资决策新模型的基础。

二、多准则随机DEA模型的改进

DEA模型在实际应用中，大都是对过去既定事实进行评价，而不是对未来不确定性的投入与产出结果进行评估，主要原因是既定事实是确定的，而未来事实是随机的，因此增加了评价的难度。

多准则DEA模型建立在经典DEA模型（即原始C^2R模型）的基础之上，该原始模型可表示为：

$$\begin{cases} \min d_0 \\ s.t. \sum_{i=1}^{m} v_i x_{ij_0} = 1 \\ \sum_{k=1}^{s} \eta_k y_{kj} - \sum_{i=1}^{m} v_i x_{ij} + d_j = 0 \qquad j=1,2,\cdots,n \\ \eta_k, v_i, d_j \geq 0 \end{cases} \qquad (8\text{-}1)$$

式中，j为决策单元代码（$j=1,2,\cdots,n$），k为产出指标代码（$k=1,2,\cdots,s$），i为输入指标代码（$i=1,2,\cdots,m$），y_{kj}是第j个DMU的第k个产出指标，x_{ij}是第j个DMU的第i个输入指标，η_k为第k个产出指标的权重，v_i为第i个输入指标权重，d_j为相对有效性偏差（当且仅当$d_0=0$时），$\mathrm{DMU_0}$是相对有效的。

用经典DEA模型评价DMU的相对有效性时，有时有多个DMU相对有效值都为1，到底哪一个更有效，该模型不能充分说明，于是提出了多准则DEA模型，该模型增加了两个评价目标，在不同的评价目标（准则）下，各DMU有不同的相对有效值，从而可以全面地对各DMU进行比较，找出较为有效的DMU。该模型为：

$$\begin{cases} \min d_0, \min M, \min \sum_{j=1}^{m} d_j \\ s.t. \sum_{i=1}^{m} v_i x_{ij_0} = 1 \\ \sum_{k=1}^{s} \eta_k y_{kj} - \sum_{i=1}^{m} v_i x_{ij} + d_j = 0 \qquad j=1,2,\cdots,n \\ M - d_j \geq 0 \\ \eta_k, v_i, d_j \geq 0 \end{cases} \qquad (8\text{-}2)$$

从上面两个模型可以看出各DMU的投入与产出变量x_{ij}, y_{kj}都是固定值即输入与产出都是惟一的，对于过去已发生的事实可以这样评价。但对未来事实由于投入与产出变量x_{ij}, y_{kj}有较大的随机性，显然用上述模型无法进行评价。

在现实生活中，更多的是对未来决策进行评价从而找到最有效的决策方向。项目投资决策者会根据市场的变化而随机改变各投入x_{ij}，从而引起产出y_{kj}的随机改变。有时，即使是相同投入，不同DMU也会带来不确定性的产出，这就需要对随机决策单元进行有效评价。

下面用例子来说明上述情况。假设有两个决策单元（DMU1，DMU2），它们都是一个输入，一个产出，其中DMU1有1单位输入能得到2单位的产出，而DMU2的产出具有随机性，即有50%的机会得到1.5单位的产出，50%的机会得到2.5单位的产出，其期望产出为2单位。如果评价者认为其期望值是比较合理的值（本书称为可信值），这时评价者是风险中立的，则两决策单元一样有效。实际上，由于评价者具有不同风险意识，他们往往有不同的结论。对风险厌恶型，认为DMU1更有效；相反，则看好DMU2。

这就是说，各DMU的有效性评价依赖于评估者对输入与产出指标的效用估计。可以设某一输入或产出指标为z，对评价者而言，其效用函数为$u(z)$，于是评价者认为该输入或产出指标的可信值应该为：

$$c_u(z) = u^{-1}(E[u(z)]) \qquad (8-3)$$

其中$E(.)$为随机变量z的期望值。u^{-1}为其效用函数的逆函数。显然，当z为常数时，$c_u(z) = z$。当其不为常数时，设可信值与期望值之差可表示为：

$$r_u(z) = c_u(z) - E(z) \qquad (8-4)$$

如果评价者是风险中立的，则$r_u(z) = 0$，对风险厌恶者$r_u(z) > 0$；相反，追求风险者$r_u(z) < 0$。由式（8-4）把例子推广到多个DMU的情形，每个DMU的输入与产出的可信值可用向量表示为：

$$c_u(X,Y) = (E(x_1) + r_u(x_1), \cdots, E(x_j) + r_u(x_j), \cdots, E(x_n) + r_u(x_n);$$
$$E(y_1) + r_u(y_1), \cdots, E(y_j) + r_u(y_j), \cdots, E(y_n) + r_u(y_n)) \qquad (8-5)$$

其中，x_j为第j个DMU输入指标，y_j为第j个DMU产出指标。

由于许多评价者在对不确定性输入与产出进行评价时，往往低估输入指标，于是定义各DMU决策指标的可信值用向量表示为：

$$c_u(X,Y) = (E(x_1) - r_u(x_1),\cdots,E(x_j) - r_u(x_j),\cdots,E(x_n) - r_u(x_n);$$
$$E(y_1) + r_u(y_1),\cdots,E(y_j) + r_u(y_j),\cdots,E(y_n) + r_u(y_n))$$

$$(8-6)$$

这就是把评价者大都看成厌恶风险型。式（8-6）仅表示了多个 DMU单个输入指标、单个产出指标的情形，于是对于多个输入指标，多个产出指标，多个DMU可进一步推广为：

$$c_u(X,Y) = \begin{bmatrix} c_u(x_{11}),\cdots,c_u(x_{i1}),\cdots,c_u(x_{m1});c_u(y_{11}),\cdots,c_u(y_{k1}),\cdots,c_u(y_{s1}) \\ \vdots \\ c_u(x_{1j}),\cdots,c_u(x_{ij}),\cdots,c_u(x_{mj});c_u(y_{1j}),\cdots,c_u(y_{kj}),\cdots,c_u(y_{sj}) \\ \vdots \\ c_u(x_{1n}),\cdots,c_u(x_{in}),\cdots,c_u(x_{mn});c_u(y_{1n}),\cdots,c_u(y_{kn}),\cdots,c_u(y_{sn}) \end{bmatrix} (8-7)$$

于是多准则随机DEA模型可以表示为：

$$\begin{cases} \min d_0, \min M, \min \sum_{j=1}^{n} d_j \\ s.t. \sum_{i=1}^{m} v_i [E(x_{j_0}) - r_u(x_{j_0})] = 1 \\ \sum_{k=1}^{s} \eta_k [E(y_{kj}) + r_u(y_{kj})] - \sum_{i=1}^{m} v_i [E(x_{ij}) - r_u(x_{ij})] + d_j = 0 \quad j=1,2,\cdots,n \\ M - d_j \geq 0 \\ \eta_k, v_i, d_j \geq 0 \end{cases} \quad (8-8)$$

为了分析的方便，本书假定评价者对所有输入与产出指标z的效用函数为$u(z) = 1 - \exp(-z/\theta)$（其中$\theta$为参数，随不同风险的评价者而变化），于是

$$u^{-1}(z) = -\theta \ln(1-z) \quad (8-9)$$

如果指标z服从均值μ，方差为σ正态分布，于是

$$u^{-1}(E[\mu(z)])$$
$$= -\theta \ln[1 - E(1 - e^{-z/\theta})]$$

$$= -\theta \ln\left(\frac{1}{\sqrt{2}\,\pi\,\sigma} \int_{-\infty}^{\infty} e^{-z/\theta} \exp\frac{-(z-\mu)^2}{2\,\sigma^2} dz \right)$$

$$= \mu - \frac{\sigma^2}{2\theta} \qquad\qquad (8-10)$$

当 θ 在某一区间服从均匀分布时，$E(z) = \mu, r_u(z) = -\dfrac{\sigma^2}{2\theta}$，于是有

$$c_u(x_{ij}) = \mu_{x_{ij}} - \frac{\sigma^2_{x_{ij}}}{2\theta}, r_u(x_{ij}) = -\frac{\sigma^2_{x_{ij}}}{2\theta}, E(x_{ij}) = \mu_{x_{ij}}$$

则多准则随机DEA模型为：

$$\begin{cases} \min d_0, \min M, \min \sum_{j=1}^{n} d_j \\[2mm] s.t. \sum_{i=1}^{m} v_i[\mu_{x_{ij_o}} - \sigma^2_{x_{ij_o}}/2\theta] = 1 \\[2mm] \sum_{k=1}^{s} \eta_k[\mu_{y_{k_j}} - \sigma^2_{y_{k_j}}/2\theta] - \sum_{i=1}^{m} v_i[\mu_{x_{k_j}} + \sigma^2_{x_{k_j}}/2\theta] + d_j = 0 \qquad j=1,2,\cdots,n \\[2mm] M - d_j \geqslant 0 \\[2mm] \eta_k, v_i, d_j \geqslant 0 \end{cases} \qquad (8-11)$$

三、算例

　　某企业针对某一技术创新项目有6个投资方案（即6个DMU），每个投资方案包含有两种投资方式（即输入指标），产出为各投资方案的预期总利润（即产出指标）。由于每种投资方式投资量需根据市场而变化，因此假设各方案不同投资方式的投资量服从不同均值与方差的正态分布，同时产出（预期总利润）也服从不同均值与方差的正态分布，于是有表8.1。

　　根据式（8-11），建立评价第一个投资方案相对有效性的多准则随机DEA模型为：

$\min d_1 \quad \min M \quad \min d_1 + d_2 + d_3 + d_4 + d_5 + d_6$

$s.t. v_1 (375+94/2\theta) + v_2 (251+63/2\theta) = 1$

$\eta_1 (131-33/2\theta) - v_1 (375+94/2\theta) - v_2 (251+63/2\theta) + d_1 = 0$

$\eta_1 (138-39/2\theta) - v_1 (394+131/2\theta) - v_2 (264+82/2\theta) + d_2 = 0$

$\eta_1 (131-39/2\theta) - v_1 (356+150/2\theta) - v_2 (251+75/2\theta) + d_3 = 0$

$\eta_1 (164-72/2\theta) - v_1 (469+150/2\theta) - v_2 (314+100/2\theta) + d_4 = 0$

$\eta_1 (157-85/2\theta) - v_1 (450+169/2\theta) - v_2 (301+113/2\theta) + d_5 = 0$

$\eta_1 (183-124/2\theta) - v_1 (488+281/2\theta) - v_2 (339+126/2\theta) + d_6 = 0$

$M - d_j \geqslant 0 \qquad j=1,2,\cdots,6 \qquad \eta_k, v_i, d_j \geqslant 0$

$$(8-12)$$

表8.1 输入与产出分布表

Table8.1 The Distribution of Input and Output

投资方案	投资方式1的投资量均值与方差	投资方式2的投资量均值与方差	预期总利润均值与方差
DMU1	N（375，94）	N（251，63）	N（131，33）
DMU2	N（394，131）	N（264，82）	N（138，39）
DMU3	N（356，150）	N（251，75）	N（131，39）
DMU4	N（469，150）	N（314，100）	N（164，72）
DMU5	N（450，169）	N（301，113）	N（157，85）
DMU6	N（488，281）	N（339，126）	N（183，124）

其他方案可依次类推的建立其多准则随机DEA评价模型。在求解式（8-12）之前，还必须知道 θ 的大小。由于 θ 表示评价者的风险程度，这里设有21个评价者，每个评价者对应的 θ 值为 $\theta_\lambda = 10 + 0.5\lambda$（$\lambda = 0$，$\cdots$，20），即 θ 服从 [10，20] 的均匀分布。于是求解式（8-12）就可得到不同风险程度的评价者对每个DMU在每个评价准则下的相对有效值，计算结果见表8.2、表8.3和表8.4。

然后通过对所有评价者的相对有效值加权平均得到每个DMU在每个评价准则下的相对有效值，即评价值。具体计算如下：

表8.2 不同风险程度评价者对每个DMU在评价准则1下的相对有效值

Table8.2 The Relevant Effective Worth of Each DMU Evaluated Under Different Risk Degree Evaluation According to Standard One

λ值	准 则 1					
	Dmu1	Dmu2	Dmu3	Dmu4	Dmu5	Dmu6
1	0.996	0.995	1.000	0.983	0.980	1.000
2	0.990	0.989	1.000	0.981	0.975	1.000
3	1.000	0.988	1.000	0.982	0.973	1.000
4	0.989	0.981	0.998	0.978	0.966	1.000
5	0.989	0.984	1.000	0.978	0.966	1.000
6	0.989	0.984	1.000	0.978	0.973	1.000
7	0.993	0.992	1.000	0.978	0.976	0.983
8	0.993	0.992	1.000	0.978	0.976	1.000
9	0.987	0.986	1.000	0.973	0.970	1.000
10	0.985	0.983	1.000	0.979	0.968	1.000
11	0.985	0.983	1.000	0.979	0.968	1.000
12	0.985	0.983	1.000	0.979	0.968	1.000
13	0.985	0.983	1.000	0.979	0.968	1.000
14	0.985	0.987	1.000	0.979	0.971	1.000
15	0.985	0.987	1.000	0.979	0.977	1.000
16	0.985	0.987	1.000	0.979	0.977	1.000
17	0.974	0.981	0.995	0.974	0.965	1.000
18	0.976	0.979	0.995	0.971	0.969	1.000
19	0.976	0.979	0.993	0.971	0.969	1.000
20	0.976	0.979	0.993	0.971	0.969	1.000
21	0.976	0.979	0.993	0.971	0.969	1.000

表8.3 不同风险程度评价者对每个DMU在评价准则2下的相对有效值

Table8.3 The Relevant Effective Worth of Each DMU Evaluated Under Different Risk Degree Evaluation According to Standard Two

λ 值	准 则 2					
	Dmu1	Dmu2	Dmu3	Dmu4	Dmu5	Dmu6
1	0.994	0.995	0.994	0.999	0.998	1.000
2	0.995	0.996	0.995	0.999	0.998	1.000
3	0.992	0.993	0.992	0.998	0.997	1.000
4	0.989	0.992	0.989	0.998	0.996	1.000
5	0.989	0.991	0.989	0.998	0.996	1.000
6	0.991	0.993	0.991	0.998	0.997	1.000
7	0.992	0.993	0.992	0.998	0.997	1.000
8	0.984	0.985	0.984	1.000	0.989	0.992
9	0.982	0.982	0.982	1.000	0.988	0.992
10	0.990	0.992	0.990	0.998	0.997	1.000
11	0.990	0.992	0.990	0.998	0.997	1.000
12	0.990	0.992	0.990	0.998	0.997	1.000
13	0.990	0.992	0.990	0.998	0.997	1.000
14	0.991	0.993	0.991	0.998	0.997	1.000
15	0.991	0.993	0.991	0.998	0.997	1.000
16	0.991	0.993	0.991	0.998	0.997	1.000
17	0.989	0.991	0.989	0.998	0.996	1.000
18	0.992	0.994	0.992	1.000	0.999	0.940
19	0.992	0.994	0.992	1.000	0.999	0.940
20	0.992	0.994	0.992	1.000	0.999	0.940
21	0.992	0.994	0.992	1.000	0.999	0.940

表8.4 不同风险程度评价者对每个DMU在评价准则3下的相对有效值

Table8.4 The Relevant Effective Worth of Each DMU Evaluated Under Different Risk Degree Evaluation According to Standard Three

λ值	准 则 3					
	Dmu1	Dmu2	Dmu3	Dmu4	Dmu5	Dmu6
1	0.982	0.986	0.982	0.996	0.994	1.000
2	0.986	1.000	0.986	0.997	0.996	1.000
3	0.979	0.983	0.979	0.996	0.993	1.000
4	0.967	0.974	0.967	0.992	0.989	1.000
5	0.968	0.974	0.968	0.973	0.989	1.000
6	0.970	0.975	0.970	0.993	0.989	1.000
7	0.977	0.981	0.977	0.995	0.991	1.000
8	0.977	0.981	0.977	0.995	0.991	1.000
9	0.967	0.974	0.967	0.992	0.988	1.000
10	0.966	0.974	0.967	0.992	0.988	1.000
11	0.966	0.974	0.967	0.992	0.988	1.000
12	0.967	0.974	0.967	0.992	0.989	1.000
13	0.967	0.974	0.967	0.992	0.989	1.000
14	0.969	0.974	0.969	0.992	0.989	1.000
15	0.970	0.975	0.970	0.993	0.989	1.000
16	0.970	0.975	0.970	0.993	0.989	1.000
17	0.960	0.968	0.960	0.991	0.986	1.000
18	0.957	0.927	0.957	0.990	0.984	1.000
19	0.957	0.965	0.957	0.990	0.984	1.000
20	0.957	0.965	0.957	0.990	0.984	1.000
21	0.957	0.965	0.957	0.990	0.984	1.000

令每一个 θ_λ 对应的 $d_0(\theta_\lambda) = \min d_0$，$M(\theta_\lambda) = \min M$，$\sum d_j(\theta_\lambda) = \min \sum_{j=1}^{n} d_j$，于是所有评价者在每个评价准则下对每个DMU的相对有效值为：

$$\pi_{d_0} = \frac{1}{21} \sum_{\lambda=0}^{20} d_0(\theta_\lambda)$$

$$\pi_M = \frac{1}{21} \sum_{\lambda=0}^{20} M(\theta_\lambda) \qquad\qquad (8-13)$$

$$\pi_{\sum_{j=1}^{n} d_j} = \frac{1}{21} \sum_{\lambda=0}^{20} \left(\sum d_j(\theta_\lambda) \right)$$

按式（8-13）得到每个DMU在每个评价准则下的相对有效值见表8.5。

表8.5 各DMU在不同准则下的相对有效值

Table8.5 The Relevant Validity Worth of Each DMU Under Different Standards

评 价 准 则	DMU1	DMU2	DMU3	DMU4	DMU5	DMU6
π_{d_0}	0.976	0.979	0.993	0.971	0.969	1.000
π_M	0.992	0.994	0.992	1.000	0.999	0.940
$\pi_{\sum_{j=1}^{n} d_j}$	0.968	0.973	0.969	0.992	0.989	1.000
平均相对有效值	0.979	0.982	0.985	0.988	0.986	0.980
平均相对有效值排序	6	4	3	1	2	5

这样就可根据表8.5来评价未来哪个方案的投资相对最有效。当然，不同的评价目的偏重于不同的评价准则，其相对有效值排序也不同。另外，根据不同情况还可以改变、增加或减少评价准则。

多准则随机DEA模型，有效地弥补了经典DEA模型的不足。实例说明了可信值计算方法具有较强的实用性和可操作性。

第三节 基于熵—DEA的投资决策方法

在运用DEA进行多方案决策与优选时，出现了几个有效的方案，甚至所有的方案都是DEA有效的，这时就很难客观地决策出更合理的方案。多准则随机DEA模型在一定程度上减少了这种问题的发生，但是不能从根本上解决。因此，需要从新的角度来研究解决这一问题的方法。对于上述问题，杨印生等人曾借助于系统论与信息论中关于熵的理论，提出了熵—DEA有效性的概念和经济涵义。本书在此基础上，探讨用于多目标多方案的企业技术创新项目投资决策的熵—DEA模型。

一、熵及其性质

熵本源于热力学，后由香农引入信息论。根据熵的定义与原理，当系统可能处于几种不同状态，每种状态出现的概率为P_i（$i=1$，2，$\cdots$，n）时，则系统的熵为：

$$E=-\sum_{i=1}^{n}P_i\log P_i \qquad （8-14）$$

熵值E实际上是系统不确定性的一种量度。由式（8-14）可知，熵具有下列性质：

第一，可加性。熵具有概率性质，系统的熵等于其各个状态熵之和。

第二，非负性。系统处于某种状态的概率必为$0 \leq P_i \leq 1$（$i=1$，2，$\cdots$，n），从而系统的熵是非负的。

第三，极值性。当系统的状态概率为等概率$P_i=\dfrac{1}{n}$（$i=1$，2，$\cdots$，n）时，其熵值最大，即：

$$E_{max}=E\ (P_1,P_2,\cdots,P_n)\ \leq E\ (\dfrac{1}{n},\dfrac{1}{n},\cdots,\dfrac{1}{n})\ =\ln n \qquad （8-15）$$

由此可知，当系统的状态数n增加时，系统的熵也增加，但增加的速度比n小得多。如果系统仅处于一种状态，且其出现概率$P_i=1$，则系统的熵等于零，说明该系统没有不确定性，系统完全确定。

第四，对称性。系统的熵与其状态出现概率P_i的排列次序无关。

第五，加法性。系统A和系统B相互独立，系统A的熵为$E(A)$，系统B的熵为$E(B)$，则复合系统AB的联合熵$E(AB)$为：

$$E(AB)=E(A)+E(B) \tag{8-16}$$

这就说明由相互独立的系统构成的复合系统的熵（联合熵）等于各单独系统熵（边际熵）之和。

第六，强加性。系统A和系统B统计相关，$E(A/B)$是系统B已知时，系统A的熵（条件熵），从而有：

$$E(AB)=E(B)+E(A/B) \tag{8-17}$$

同理有：

$$E(AB)=E(A)+E(B/A) \tag{8-18}$$

二、投资决策的熵—DEA方法

1. 熵—DEA有效性及其经济解释

假设有n个决策单元（即备选投资方案），每个决策单元都有m种类型的输入和s种类型的输出。设第j个决策单元的输入、输出指标向量分别为$X_j=(x_{1j},\cdots,x_{mj})^T$和$Y_j=(y_{1j},\cdots,y_{sj})^T$（$j=1,2,\cdots,n$），且$X_j>0$，$Y_j>0$，则用来评价第$j_0$个决策单元技术有效性的$C^2GS^2$模型为：

$$\begin{cases} \min Q=V_D \\ s.t. \displaystyle\sum_{j=1}^{n} X_j\lambda_j \leqslant QX_{j_0} \\ \displaystyle\sum_{j=1}^{n} Y_j\lambda_j \geqslant Y_{j_0} \\ \displaystyle\sum_{j=1}^{n} \lambda_j=1, \quad \lambda_j \geqslant 0, \; j=1,\cdots,n \end{cases} \tag{8-19}$$

这是一个线性规划问题，若其存在最优解$\lambda_1^0,\cdots,\lambda_n^0,Q^0$使得$Q^0=1$，则称$DMU_{j_0}$是技术（DEA）有效的。

为了说明DEA有效性的经济含义，可以引入C^2GS^2模型对应的生产可能集T，它满足"凸性"，"无后效性"和"最小性"等主要公理，具体表示为：

$$T=\left\{(X,Y)\ \middle|\ \sum_{j=1}^{n}X_j\lambda_j\leq X,\ \sum_{j=1}^{n}Y_j\lambda_j\geq Y,\ \sum_{j=1}^{n}\lambda_j=1,\ \lambda_j\geq0,j=1,\cdots,n\right\}\qquad（8-20）$$

其中，（X,Y）表示每一可能的生产状态。

线性规划模型（8-19）的经济解释就是：在生产可能集T内，当产出Y_{j_0}保持不变的情况下，尽量使投入量X_{j_0}按统一比例量Q减少（$0<Q^0\leq1$）。如果投入量X_{j_0}不能按统一比例Q减少，即线性规划模型（8-19）的最优值$V_D=Q^0=1$，在单输入单输出的情况下，决策单元就是"技术有效"的。

利用C^2GS^2模型来评价决策单元的技术有效性，需要求解相应的线性规划问题，而且有些实际系统，可能出现很多有效的单元。为了进一步分析其有效性，下面建立熵—DEA模型：

$$\max\left(\sum_{j=1}^{m}e^{-kx_j}+\sum_{j=1}^{s}e^{ky_j}\right)\qquad（8-21）$$
$$(x,y)\in T$$

其中$k>0$为参数，$X_j=(x_{1j},\cdots,x_{mj})^T>0$，$Y_j=(y_{1j},\cdots,y_{sj})^T>0$，若对某个参数$k>0$，模型（8-21）的解为（$X_0,Y_0$），则称（$X_0,Y_0$）为熵—DEA有效。

可以证明，若决策单元（X_{j_0}，Y_{j_0}）为熵—DEA有效，则一定是DEA有效的，因此，熵—DEA有效也具有明显的经济涵义。

2. 熵—DEA有效性与多目标多方案投资决策

DEA方法的理论基础是数学规划，它和多目标决策之间有着密切的联系，尤其是熵—DEA模型及其有效性概念的提出，为DEA方法在多方案投资决策中的应用提出了一条新途径。

假设有n个可行的方案，表示为n个决策单元（X_1,Y_1），$\cdots$，（X_n,Y_n），共有m个投入或输入指标，S种产出或输出指标，于是n个方案构成的可行集为：

$$\hat{T} = \{(X_1, Y_1), \cdots, (X_n, Y_n)\} \tag{8-22}$$

现在要对$\hat{T}$中的n个投资方案进行有效性评价，以便从中选出更为有效的方案为决策提供依据。

可以证明，$\hat{T}$中使$\sum_{j=1}^{m} e^{-kx_j} + \sum_{j=1}^{s} e^{ky_j}$达到最大的方案$(X,Y)$一定是相对于其他方案为熵—DEA有效的，从而是DEA有效的，其中$X = (x_1,\ldots,x_m)^T$，$Y = (y_1,\ldots,y_s)^T$。

根据上面分析，可以对$\hat{T}$中每一个方案(X,Y)，建立其有效性测度：

$$H(X,Y) = \sum_{i=1}^{m} e^{-kx_i} + \sum_{j=1}^{s} e^{ky_j} \tag{8-23}$$

显然，该测度越大，相应方案的技术有效性程度就越高，因此，可以按方案的这种测度对方案的优劣型进行合理的排队。

基于熵的性质而建立的多指标投资决策评价模型方法（即熵—DEA方法）具有如下特点：

（1）投资决策评价过程既考虑了多指标评价投资方案的固有信息，又考虑了决策者本身的经验判别能力。

（2）用熵—DEA方法可将多指标综合评价归结为一组数，这组数可以用来对投资项目方案进行排序，对投资项目方案进行优选。

（3）熵—DEA方法具有较广泛的实用性，可用于其他学科领域的多指标（多属性）综合评价。

（4）熵—DEA方法的理论基础严谨。因为DEA方法的数学基础是数学规划论，而且DEA本身也已发展成为运筹学与系统工程的一个新领域，所以，在此基础上的熵—DEA方法就具有严谨的理论依据。

（5）熵—DEA方法具有明确的经济解释和含义。这也正是将该方法用于多目标投资决策的前景所在。

（6）熵—DEA方法计算简单易行。过去用DEA方法来评价投资方案，不仅要求解许多线性规划问题，而且对众多有效的方案还难于处理，而熵—DEA方法的评价只需要简单的指数运算即可给出各方案的有效性测度。

三、算例

某企业有一个技术创新项目投资方案的优选问题：有4个可行方案，14个评价指标，评价指标既有定性指标，也有定量指标，指标属性涉及技术、经济、环境、社会等。

经项目可行性研究和专家调查咨询，4个可行性方案的定性指标得分值见表8.6（规定得分在0—5之间），定量指标水平值见表8.7。需要说明的是，定性指标的量化要根据专家咨询等方法来确定，在灰色系统理论中，可以通过灰量逐步白化的形式来实现。

表8.6 定性指标得分表
Table8.6 The Scores of The Qualitative Index

指　　标	方案1	方案2	方案3	方案4
能　　　　耗	3	3.67	3.33	4.17
资 源 利 用	3.5	3.6	3.7	3.9
环 境 污 染	3.83	3.83	3.67	3.67
产业带动作用	4.16	3.83	3.83	3.83

其中，能耗、资源利用、环境污染、经营成本、总投资和研究开发费产值比的数值越小越好，可以看作是输入指标，而其他指标为输出指标。

根据表8.6中的数据，利用熵—DEA方法可以计算出每个方案的有效测度，结果：$H(1)=74.159030$，$H(2)=56.246890$，$H(3)=$

56.587918，H（4）=56.66350，因为H（1）>H（4）>H（3）>H（2），所以，方案的优劣次序是：方案1、方案4、方案3、方案2。

表8.7　定量指标水平值表

Table8.7　The Scores of The Quantitative Index

指　标	方案1	方案2	方案3	方案4
经营成本（亿元）	1.2683	0.99565	0.9485	1.00223
总投资（亿元）	2.3706	1.1353	4.6966	1.3274
研究开发费/产值比	0.0133	0.0136	0.0136	0.0140
利润额（亿元）	0.38975	0.19885	0.6784	0.40778
投资利润率	0.2547	0.3070	0.2000	0.4402
技术人员/全员比	0.2366	0.2383	0.24	0.2417
百元产值净产值率	0.1350	0.1383	0.1333	0.1383
附加值率	0.1333	0.1333	0.1417	0.1367
市场占有率	0.1414	0.1370	0.14	0.14
进口替代率	0.1410	0.1366	0.1383	0.1367

第四节　基于DEA的项目投资估算精度控制方法

投资估算精度不高，项目概预算失控是我国项目投资活动中存在的一个比较突出的问题。据有关资料介绍，近年来我国项目投资超出概预算的现象相当普遍，且超支幅度十分惊人。造成这一现象的原因是多方面的，其中既有客观因素（如物价上涨），也包括主观因素。投资估算（即投资概预算）失真会造成许多不良后果。人为低估投资额会使一些效益一般（甚至根本没有效益）的项目通过审批而上马，分散了财力物力，使有限的社会资源得不到合理配置；即使是一些有市场需求、符合产业政策的项目，当资金预算不足时也会因资金短缺而延误工期或降低质量，影响投资效益。

企业技术创新项目的投资活动是一种生产活动，对同属于某一生产部门的若干投资项目，每个项目都可视为一个决策单元，需要投入资金、技术等资源，以获得预期的产出。所以，在评价企业技术创新项目投资的有效性和可行性时可以使用DEA模型。

一、原理

企业技术创新项目的投资活动是在一定的技术、经济和组织条件下进行的，当投资项目的外部环境和内部条件无显著改变时，要取得预定的产出效果，必须有相当数额的资金投入来保证。如果拟进行的技术创新项目的可行性研究中有低估投资或高估效益的倾向，则会使拟进行的技术创新项目成为不可能实现的投资活动，用DEA的术语来说，就是该项目投资活动不在现有的"生产可能集"中。

设企业某类技术创新项目需投入m种资源，项目实施后可获得s种产出。现有n个已完成的该类项目，其集合为$J=(1,2,\cdots,n)$。对于任一项目$j\in J$，其投入向量$X_j\geq 0$，产出向量$Y_j\geq 0$，生产可能集为：

$$T_{\mathrm{C^2R}}=\left\{(X,Y)\ \left|\ X\geq\sum_{j=1}^{n}X_j\lambda_j, Y\leq\sum Y_j\lambda_j,\ \lambda_j\geq 0, j=1,2,\cdots,n\right.\right\} \quad (8-24)$$

若有一个投资项目j_0（$j_0\notin J$），其投入的资源为X_0，预期产出为Y_0，则可用下述DEA模型判断该投资项目是否处于"生产可能集"中：

$$\begin{cases} \min\ \theta \\ \sum_{j=1}^{n}X_j\lambda_j+S^-=\theta X_0 \\ \sum_{j=1}^{n}Y_j\lambda_j-S^+=Y_0 \\ \lambda_j\geq 0 \\ S^-\geq 0, S^+\geq 0, j_0\notin J \end{cases} \quad (8-25)$$

其中，S^-、S^+是松弛向量。模型（8-25）与前面提到的评价决策单元相对有效性的C^2R模型（2-10）形式相似，但含义有差别。在模型（2-10）中，被评价的决策单元$j_0 \in J$，(X_0, Y_0)是已实现的生产活动，因而关系$(X_0, Y_0) \in T_{C^2R}$总是成立的，可由模型（2-10）的最优解来评价决策单元j_0是否属于DEA有效；而在模型（8-25）中，设定j_0代表某一投资项目，j_0对应的生产活动(X_0, Y_0)并未实现，尚处于方案评价阶段，因而$j_0 \notin J$，可根据模型（2-10）的最优解来判定$(X_0, Y_0) \in T_{C^2R}$是否成立，从而评价该项目的投资估算是否合理可行。

可以由下列1个引理和2个定理导出判别规则。

引理 设模型（8-25）的最优解为λ_j^0、S^{-0}、S^{+0}、θ_0，则S^{-0}中至少有一个分量严格等于零。

定理1 设决策单元$j_0 \notin J$，对应(X_0, Y_0)，规划模型（8-25）的最优解为λ^0、S^{-0}、S^{+0}、θ_0，则有：

（1）若$\theta_0 \leqslant 1$，则$(X_0, Y_0) \in T_{C^2R}$；

（2）若$\theta_0 > 1$，则$(X_0, Y_0) \notin T_{C^2R}$。

定理2 设决策单元$j_0 \notin J$，对应(X_0, Y_0)，规划模型（8-25）的最优值$\theta_0 > 1$，则将j_0的输入改为$\theta_0 X_0$后，$(\theta_0 X_0, Y_0) \in T_{C^2R}$。

二、操作步骤

根据以上论述，提出运用DEA模型（C^2R）评价和控制企业技术创新项目投资估算精度的操作步骤如下：

第一，按项目类别建立项目投资估算精度评价数据库，记录已完成的投资项目的总投资、工期、生产能力（产量）等统计数据，以供新项目投资估算评价和控制时使用。

第二，当需要评价新的投资项目时，将拟进行的企业技术创新项目看作一个待评价的决策单元，以数据库中的已完成项目的投资和产出数据为基础，构造该类投资活动的"生产可能集"。利用已完成项目的投资额等历史数据时须用投资品价格指数对其作必要调整，以保持数据的可比性。

第三，运用模型（8-25）检验拟进行的企业技术创新项目是否处于生产可能集之中。当模型（8-25）的最优值 $\theta_0 \leqslant 1$ 时，判定拟进行的技术创新项目属于生产可能集，其投资估算较为稳妥可信；反之，当模型（8-25）的最优值 $\theta_0 > 1$ 时，判定拟进行的技术创新项目不属于生产可能集。如果 θ_0 显著大于1，则可认为该项目的可行性研究中有低估投资额（或高估产出）的倾向，应要求承担该项目的企业进一步筹措资金作为预备费用，使投资估算总额至少调整至 $\theta_0 X_0$ 水平，以免项目上马后出现大的资金缺口。

第四，调整投资估算后，须对拟进行的技术创新项目重新进行经济评价，以考察该项目的经济效益和社会效益指标是否还能达到预期水平。只有资金筹措计划完全落实，并且在调整投资额后仍然能够通过项目经济评价的投资项目，方可实施。

按上述步骤对拟实施的技术创新项目进行投资估算精度评价，不仅能提高投资估算的精度，也可在一定程度上制止不具备条件的项目盲目实施，起到控制投资规模，提高资金利用效果的作用。

第九章　企业技术创新项目中止决策方法研究

中止决策作为一个重要的实际决策问题已越来越引起人们的注意。由于技术创新活动具有极大的不确定性和风险性，因此，技术创新项目的中止决策问题十分普遍。当一个技术创新项目进行到一定阶段已经确认为失败，或者有足够的理由可判定该项目无法继续进行，或者已证明该项目即使在将来得已完成也缺乏经济或市场价值，那么，此时应当作出中止该项目的决策；当一个技术创新项目进行到一定阶段，其进展情况、未来前景与原先的计划存在一定差距，但又尚存在成功与获得的希望，此时进行项目的中止决策便存在一定的复杂性与困难性。本文所说的中止决策主要是指后一种情形，即不确定状态下的两难决策。

第一节　企业技术创新项目中止决策的类型与特点

技术创新项目中止决策可以分为两种类型。一种是群体淘汰决策，即对同时进行一组技术创新项目，每进行到一定阶段，便决定应当淘汰哪些项目以及应当保留哪些项目；它实际上是对技术创新项目不断淘汰、筛选的过程。第二种是单项目中止决策，即仅仅就某一个技术创新项目进行中止决策。

技术创新项目中止决策具有以下特点：

其一，技术创新项目中止决策属于追踪决策中的一种特殊情形。一般的技术创新决策问题是指项目实施之前的决策，即决策方案选定后，尚未付诸实施，客观对象与环境尚未受到决策的干扰与影响。而技术创新项目的中止决策则不然，它所面临的对象与环境已非处于初始状态，而是经过项目实施者按照既定方案对技术创新项目进行了一定时期的改造、干扰与影响，也发生了人、财、物等的消耗。因此，技术创新项目中止决策的一个重要特点便是非零起点。

其二，随着技术创新项目的推进，技术创新项目本身以及外部环境的不确定性在降低，因而，技术创新项目中止决策相对于初始决策来说拥有的确定性信息要多。就技术创新项目本身而言，当技术创新项目进行到一定阶段以后，一些原来未曾预计到的技术难点、技术关键问题逐步暴露，一些预先设定的技术方案被否决而使存留方案愈来愈集中，决策者和实施者对该项目的技术问题越来越了解，从而使信息量增加。信息是决策的依据，中止决策的信息基础不同于初始决策的信息基础，从而使中止决策与初始决策相比有很大的不同。

其三，技术创新项目中止决策的另一个特点是它具有两难性。当技术创新项目进行到一定阶段后，该项目已沉淀了一部分投入，若放弃该项目，则不仅会导致机会损失，而且会导致已有投入的风险损失；若继续进行该项目，则一旦失败，不仅会损失此前投入的人力、财力、物力和时间，而且会导致进一步追加投入的损失，而一旦成功，则有可能回收所有的投入。因此，在技术创新的中止决策中，决策者将陷入两难境地。将技术创新项目的中止决策与初始决策问题进行比较，比较结果列于表9.1，可以看出，技术创新项目的中止决策要远比初始决策复杂和困难。所造成的一个结果是：决策者进行中止决策的标准要比初始决策低。

表9.1 中止决策与初始决策的比较

Table9.1 Comparison of the disconrinue decision and the early decision

内容	中止决策	初始决策
决策起点	非零起点	零起点
信息量	较多	较少
可逆性	可逆性差	可逆
放弃时的损失	风险损失+机会损失	机会损失
放弃时的收益	少量	无
接受时的损失	既成损失+预期损失	预期损失
接受时的收益	既成损益+预期收益	预期收益

设 i 为投资收益率，i_0 为初始决策的基准投资收益率，i^* 为中止决策的基准投资收益率，且：

当 $i \geq i_0$ 时，接收该项目（初始决策）

当 $i \geq i^*$ 时，不中止该项目（中止决策）

则一般有 $i^* \leq i_0$，也就是说，即使略有盈利，决策者在中止决策时也不愿意否决该项目。

第二节 企业技术创新项目中止决策的原因与条件

一、企业技术创新项目中止决策的原因

企业进行中止决策，一般是由于以下原因：

1.外部环境发生了很大变化，迫使企业考虑中止决策问题

例如，国家产业政策进行重大调整，使得原先属于重点鼓励领域的技术创新项目在当前不属于倾斜之列，从而使企业在获得技术创新项目

所需的低息贷款方面受挫，或者由于税率的提高而使最初进行评价时所估计的经济效益指标难以实现；国家法律变动，使得已进行的技术创新项目受到直接或间接影响；竞争对手已抢先在同类技术创新项目上取得成功；技术进步速度加快使企业进行的技术创新项目相对老化而失去其技术经济价值；市场需求发生较大变化，使得该技术创新项目市场前景比较悲观，或者是决策者在进行初始决策时便对市场需求估计错误，直到项目进行了一段时期才发现这种错误。

2. 技术创新项目本身的原因

技术创新项目存在过多的技术难点，但决策者在进行初始决策时未能估计到这些难点，直到项目进行到一定时期时这些技术难点才显露出来，而企业要解决这些技术难点又需花费大大高于预先估计的资金、设备和时间，决策者需重新审查该项目的技术可行性和经济合理性；决策者在初始决策时对技术创新项目的技术先进性作了过高估计，直到后来才发现该项目在技术上并不先进，需对该项目在技术先进性方面进行进一步评价决策。

3. 创新者实力方面的问题

例如，当一个技术创新项目进行到一定阶段，发现该项目所需投资远远高出预先的估计并超出企业的资金实力与风险承受能力；当技术创新项目进入生产阶段后，发现该项目要付诸生产需要大量购买新设备、大幅度调整工艺而对企业造成比较大的冲击。

二、企业技术创新项目中止决策的条件

中止决策一般有以下几种结果：①继续该项目；②中止该项目；③进行方案调整，即对技术创新项目的原有方案进行比较大的调整，它属

于方案否决而不是项目否决。

一般地，当出现以下情形之一时，应否决（或中止）该项目：

当技术创新项目遭法律禁止有直接的、不可回避的影响时；

当技术创新项目完全缺乏市场需求或市场价值时；

当竞争对手已抢先开发且有较大可能在本企业开发成功之前业已占据大部分或全部市场时；

当企业不能逾越竞争对手的专利障碍时；

当技术进步的发展已使本项目失去任何技术优势时；

当技术创新项目在技术上已成为不可能，或者存在超出企业能力之外的较多技术难点时；

当企业实力远不能完成该项目而又无法通过横向联合来解决这一问题时。

第三节　企业技术创项目中止决策模型

造成项目失败的原因有很多，政策的变化、环境的变迁以及技术问题的难以解决都可能导致项目提前中止。

项目的中止决策就是在项目实施的过程中决定项目是继续进行，还是提前中止。企业内往往有多个技术创新项目同时处于实施过程中，这时进行中止决策的最直观方法就是把项目中止问题看成为项目选择问题，在每个决策点处重新评价各个项目，由选择模型计算出的结果来决定哪些项目继续实施，哪些项目提前中止。运用项目选择的方法来决定项目的中止与否有一定的实用性，但也有它的缺点。最主要的缺点就是因为各个项目分别处于不同的阶段，这时用同样的标准来确定因素的得分就很难使得到的结果保持一致性。R. Balachadra和J. Raelin通过同项目经理们的讨论发现，项目经理们常常使用直观的判别函数来作决策。于是他们将项目中止模型表示为如下的判别函数形式：

$$D_i = \sum_{j=1}^{m} f_{ij}d_i \qquad\qquad i=1,2,\cdots,\ n$$

式中：D_i——第i个项目的判别得分；

　　　f_{ij}——第i个项目第j个因素的得分；

　　　d_i——判别函数系数，即权重。

在这个模型中，预先给定一个临界值D_0（实际上是通过计算得出的，后面会进一步加以说明），如果$D_i > D_0$则继续实施该项目；如果$D_i < D_0$则提前中止该项目；如果$D_i = D_0$则有待于进一步判别。实际应用中出现$D_i = D_0$的概率非常小。

Klaus Brockhoff通过对美国的114个项目（这114个项目是从40家企业中得到的，其中有57个项目是成功的，57个项目是失败的）的分析，给出了14个判别因素，见表9.2。

表9.2　项目中止模型的变量及权重

Table9.2 The Variables and Weights of the disconrinue Model for Project

序号	变　　量	取值范围	权重
1	技术成功的可能性	1—7	0.25
2	同时间安排的偏离程度	1—7	−0.32
3	同成本安排的偏离程度	1—7	−0.38
4	竞争对手推出同类产品的速度	1—7	−0.33
5	机会事件对项目的影响	0—1	−0.24
6	工艺流程的平稳性	1—6	0.26
7	项目经理的压力	1—7	−0.27
8	项目拥护者的存在与否	0—1	0.36
9	商业成功概率的变化	1—7	0.7
10	产品最终用途数目的变化	（−10，10）	−0.3
11	高层领导支持的变化	1—7	0.28
12	R&D部门支持的变化	1—7	−0.25
13	项目经理承诺的变化	1—7	0.26
14	专家可获得性的变化	1—4	0.25

运用上述的判别函数，将这些因素的权重和每个项目相应因素的得分代入计算后得到的误判概率为17.5%。可见这样的判别函数还是有一定的可信度的。结合前面讨论将选择模型应用于项目中止模型时的缺点，可以看出，上述分析如果将生命周期的各个阶段因素加入进去，应该会更合理一些，这样判别的准确率也会更高一点。

通过上述判别函数来进行决策一般耗时较长，数据获取也较困难，只有在难以做出直观决策时才使用这种方法。实际上，在进行项目提前中止与否的决策时，可以先考察一些关键因素，看影响项目的关键因素是否有重大改变，如果某个关键因素变化后使得项目已不能继续进行下去或进行下去已无利可图，就应毫不犹豫地中止项目；如果这些关键因素都没有重大改变，则进一步运用上述的判别模型来进行决策。考察的关键因素主要有：①技术难关；②定位市场；③相关政策；④原材料的可获程度和价格。结合这些关键因素，将项目的中止模型改写为：

$$D_i = \left(\prod_{k=1}^{v} C_{ik} \right) \left(\sum_{j=1}^{m} f_{ij} d_j \right)$$

当C_{ik}=1时，如果第k个关键因素无变化或虽有变化但不影响第i个项目的继续进行；当C_{ik}=0时，则相反。

第四节 企业技术创新项目中止决策的方法

一、群体淘汰决策的方法

设t时期正在进行的技术创新项目集为$I_s = \{1,2,\cdots,s\}$，需要进行初始决策的备选项目集为$I_n = \{s+1,s+2,\cdots,n\}$。在进行群体淘汰决策时，应把$I_s$的中止决策与$I_n$的初始决策结合起来进行，此时，可归结为一个对$I=I_s \cup I_n = \{1,2,\cdots,n\}$的项目组合决策问题：

$$\max \sum_{i=1}^{n} h_i x_i + p\left(c - \sum_{i=1}^{n} c_i x_i + \sum_{i=1}^{n} \sum_{j=1}^{n} c_{ij} x_i x_j\right)$$

$$s.t. \sum_{i=1}^{n} c_i x_i \leq c$$

$$\sum_{i=1}^{n} \sum_{j=1}^{n} \delta_{ij} c_i c_j x_i x_j \Big/ \left(\sum_{i=1}^{n} c_i x_i\right)^2 \leq v$$

$$x_{i1} - x_{i2} = 0; \quad x_{i3} + x_{i4} = 2; \quad x_{i5} + x_{i6} \leq 1; \quad x_i = 0,1; \quad i = 1,2,\cdots,n$$

$$i_m \in t I_m, \quad I_m \subset I$$

式中，x_i 为决策变量，当 $x_i=0$ 时表示中止或淘汰 i 项目，当 $x_i=1$ 时表示继续或接受 i 项目。同时，h_i 表示 i 项目的预期收益，c_i 表示 i 项目的费用（已实现费用加上预期追加费用），c_{ij} 表示 i 项目与 j 项目一同进行时的资源节余，c 为总费用预算限制，p 为节余资源的机会收益，δ_{ij} 为 i 项目与 j 项目的投资收益率协方差。v 为总风险限制（与决策者对待风险的态度以及企业风险承受力有关）。约束条件 $x_{i1}-x_{i2}=0$ 表示项目 i_1 和 i_2 要么同时进行，要么同时被舍弃或中止；$x_{i3}+x_{i4}=2$ 表示 i_3 和 i_4 必须继续进行；$x_{i5}+x_{i6} \leq 1$ 表示项目 i_5 和 i_6 中必须有一个被中止。

在上述模型中，实际上只考虑了中止决策的两种结果，而没有考虑"方案调整"的情况。若要将三种情况一起进行分析，则需将决策变量 x_i 进行分解，即设：

$$x_i = x_{i1} + x_{i2} + \cdots + x_{i,mi} \qquad i = 1,2,\cdots,n$$

式中 $x_{ij}=1$ 表示接受 i 项目的第 j 方案，$x_{ij}=0$ 表示中止或否决 i 项目的第 j 方案；在这些方案中，包括新调整的方案。显然，应满足：

$$x_i = x_{i1} + x_{i2} + \cdots + x_{i,mi} \leq 1 \qquad i = 1,2,\cdots,n$$

而当 $x_{ik}=0$ 对 $\forall k=1,2,\cdots,mi$ 时，则意味着 i 项目被中止或否决。此时，我们暂不考虑节余项 $\sum_{i=1}^{n} \sum_{j=1}^{n} c_{ij} x_i x_j$，且设 h_{ij} 为接受 i 项目第 j 方案的收益，c_i 为实施或继续 i 项目第 j 方案所需费用，则目标函数为：

$$\max \sum_{i=1}^{n} \sum_{j=1}^{mi} h_{ij}x_{ij} + p\left(c - \sum_{i=1}^{n} \sum_{j=1}^{mi} c_i x_{ij}\right)$$

$$= \sum_{i=1}^{n} \sum_{j=1}^{mi} (h_{ij} - pc_i) \ x_{ij} + pc$$

相应地，有关约束条件也应发生变化，且必须引入下述约束条件：

$$x_i = x_{i1} + x_{i2} + \cdots + x_{i,mi} \leq 1 \qquad i = 1,2,\cdots,n$$

二、单项目中止决策的方法

单项目中止决策可以采用现金流曲线比较法，即先绘出项目初始决策时所估计的现金流（随时间变化）曲线，再绘出在项目进行中某一时点重新估计的现金流曲线，将两者进行比较，若后者明显劣于前者，则作出中止该项目的决策。

设A_i为技术创新项目已实施年份中各年的实际净现金流量，A^*_{ti}为t时刻对以后各时刻的净现金流量的重估值，A^*_i为初始决策时所估计的各年的净现金流量。那么，重估的现金流量曲线（序列）为：

$$A_0, A_1, \cdots, A_t, A^*_{t+1}, \cdots, A^*_T$$

初始决策时估计的现金流量曲线（序列）为：

$$(A^*_0, A^*_1, \cdots, A^*_T)$$

式中，T为技术创新周期。

设q_0为基准投资收益率，q^*_t为t时刻重估的投资收益率，q^*为初始决策时所估计的投资收益率。项目中止的必要条件是：

$$q^* \geq q_0 > q^*_t$$

但由于项目中止决策具有与初始决策不同的特殊性，因而此条件不一定为充分条件。当有些项目满足$q^* \geq q_0 > q^*_t > 0$，$t > \theta T$，$\theta > 50\%$时，由于沉淀投入的存在，决策者仍有可能作出继续该项目的决策。但是，在下述情形下应作出中止该项目的决策：

$$\begin{cases} A_i < A^*_i, & i=0,1,\cdots,t \\ A^*_{ji} < A^*_{j}, & j=t+1,t+2,\cdots,T \\ q^*_t < 0 \end{cases}$$

值得注意的是，在中止决策过程中，除了重估的现金流量会发生变化外，对项目周期的估计也会发生变化，这种情况应在中止决策分析时加以考虑。仍设项目中止决策的时点为t，再设重估的项目开发周期为T^*，原先估计的项目开发周期为T；重新估计的项目寿命周期（已扣除T）为L^*，原先估计的项目寿命周期为L。则在不考虑机会损失的情况下，中止技术创新项目的损失为：

$$W^*_l = \sum_{i=0}^{t} \frac{C_i}{(1+r)^i}$$

继续进行该项目的期望损失为：

$$W^* = \sum_{i=0}^{t} \frac{C_i}{(1+r)^i} + \sum_{i=t+1}^{T^*} \sum_{j=1}^{m} \frac{\alpha_j c_{tj}}{(1+r)^i} - \sum_{i=1}^{L^*} \sum_{j=1}^{n} \frac{\beta_j R_{tj}}{(1+r)^{i+T^*}}$$

式中，c_i表示t时刻以前已经投入的费用；在$t+1$至T^*这一阶段，技术创新项目的继续投入仍具有一定的不确定性，它以α_j的概率在t年需进一步投入c_{ij}的费用，且：

$$\sum_{j=1}^{m} \alpha_j = 1, \quad \alpha_j \geq 0, \quad j=1,2,\cdots,m$$

在技术创新项目的寿命周期内，其盈利亦具有不确定性，它以β_j的概率在T^*以后的第t年盈利R_{ij}，且：

$$\sum_{j=1}^{m} \beta_j = 1, \quad \beta_j \geq 0, \quad j=1,2,\cdots,n$$

此时，中止决策主要是通过比较W^*_l与W^*的值来进行，但也需综合分析以下因素：

第一，重估费用与初始决策时估计费用之比，即：

$$V_1 = \left[\sum_{i=0}^{t} \frac{C_i}{(1+r)^i} + \sum_{i=t+1}^{T^*} \sum_{j=1}^{m} \frac{\alpha_j c_{tj}}{(1+r)^i} \right] \bigg/ \left[\sum_{i=0}^{T} \sum_{j=1}^{m'} \frac{\alpha'_j C_{tj}}{(1+r)^i} \right]$$

式中，m', α'_j（$j=1$, $2,\cdots,m'$）分别为初始决策时估计的状态数、状态概率与费用分布。若V_1越大，则越应倾向于中止该项目。

第二，重估开发周期与初始决策时估计的开发周期之比，即：

$$V_2=T^*\big/T$$

若V_2越大，则应越倾向于中止该项目。

第三，重估寿命周期与初始决策时估计的寿命周期之比，即：

$$V_3=L^*\big/L$$

若V_3越小，则应越倾向于中止该项目。

第四，重估盈利与初始决策时所估计的盈利之比，即：

$$V_4=\sum_{i=1}^{L^*}\sum_{j=1}^{n}\frac{R_{ij}}{(1+r)^{i+T^*}}\bigg/\sum_{i=1}^{L}\sum_{j=1}^{n'}\frac{\beta'_j R'_{ij}}{(1+r)^{i+T^*}}$$

式中，n', β'_j, R'_{ij}（$j=1$, 2, $...,n'$）分别表示初始决策时估计的盈利状态数、概率以及盈利分布。若V_4偏小，则应倾向于中止该项目。

第五，已实施费用所占比重，即：

$$V_5=\sum_{i=0}^{t}\frac{C_i}{(1+r)^{i}}\bigg/\Big[\sum_{i=0}^{t}\frac{c_i}{(1+r)^{i}}+\sum_{i=t+1}^{T^*}\sum_{j=1}^{m}\frac{\alpha_j C_{ij}}{(1+r)^{i}}\Big]$$

若V_5越大，则作出中止该项目便越困难。

第十章　提高企业技术创新项目
决策科学化的对策

第一节　树立可持续发展的技术创新思想

随着现代科技的迅猛发展及其对社会经济的影响日益加强，技术创新及其作用备受关注，然而，人们重视和研究更多的是技术创新的积极作用，更多的是从市场实现和经济效益的角度来评价技术创新，对技术创新作用的两重性缺乏足够的认识。全面地、辩证地认识技术创新的作用，将可持续发展的思想融合到技术创新的过程，把技术创新过程中出现的负面影响减小到最低限度，对进一步推动技术创新，发挥技术创新在国民经济建设和社会发展中的作用，具有积极的意义。

一、从可持续发展的角度看技术创新

可持续发展是建立在生态的可持续性、经济的可持续性、社会的可持续性基础之上的人与自然的和谐发展和社会的协调发展；发展不光要追求经济效益，而且要讲究生态环境效益和社会效益，强调经济活动的生态合理性和公平性，摒弃有害于环境保护和资源永续利用的经济活动方式，达到经济效益、生态环境效益和社会效益的统一。既要满足人类

的各种需求，又要保护生态环境和资源，不危及后代人的生存和发展能力，维护社会的公平发展。

可持续发展的思想与技术创新的思想既相互区别，又有一定的联系。两者的区别在于技术创新强调的是科技成果的商业化所获得的市场份额和经济效益；而可持续发展强调的是经济效益、环境效益和社会效益的统一。两者的联系在于技术创新是实现可持续发展的重要途径。技术创新对可持续发展的意义在于：科学技术的发展和广泛应用，深化了人类对自然的认识，提高了人类保护生态环境的自觉性；通过提供科学方法和技术手段，提升管理水平，提高资源的利用率，开拓新的自然资源，提高环境的承载能力，扩大人类的生存空间；通过提供先进的技术手段和科学的决策依据，提高人类评价、预测和控制人类对自然环境的影响的能力。

然而，值得重视的是，通过科技进步解决人口、资源和环境问题，以技术创新来促进可持续发展，应是建立在对科学技术作用的辩证认识和合理利用的基础上的。看不到科学技术作用的两重性，片面地把技术创新当做获取经济利益的手段而忽视生态环境利益和社会利益，势必造成技术创新过程的近视眼光和短期行为，背离可持续发展的思想。由于技术创新的理论与实践更多地强调市场的实现程度和经济利益，生态环境效益和社会效益没有得到应有重视，技术创新在促进经济增长的过程中，也引起了各种负面效应。

二、技术创新产生负面影响的原因

1. 技术创新本身的不确定性与风险性是产生负面影响的内在原因

弗里曼认为，技术创新的不确定性来自于三个方面：技术上的不确定性，市场的不确定性和一般商业的不确定性，正是因为技术创新的不确定性因素的存在进而影响技术创新投入实现价值补偿，使创新具有风险性。大量的研究表明：大约90%的新技术进入市场之前夭折，即使对促使创新成功的因素有更充分的理解，采用更好的创新管理和项目选择与评价技术，失败的可能性也是存在的。创新的成功与否对企业或区域会产生不同程度的影响：重大的技术创新项目，对企业的开发、生产和经营活动，对区域的发展会产生至关重要的影响，从而影响到企业和区域的可持续发展能力；大的技术项目的失败，甚至会导致企业的倒闭。

2. 缺乏合理的技术创新评价规范和有效的监控机制是产生负面影响的外在因素

由于新技术的不完备性和技术创新过程的不确定性，技术创新的每一环节，都存在着从可持续发展的角度进行评价和控制的必要性。但实际上，由于缺乏合理的技术创新的评价规范和有效的监控机制，人们并没有通过合理的评价规范和体系去系统地评价新技术，也没有形成有效的监控机制去控制技术的开发和利用，以致新技术被滥用、误用。传统的经济学理论对创新的理解尽管是多种多样的，但其基本的核心是一致的，那就是"技术创新是创新成果的商业化过程"，因此判断技术创新成败的重要标志就是市场的实现程度，即获取的商业利润、市场份额的多少，经济效益成为创新理论的主要着眼点。对可持续发展目标的忽视是产生负面影响的重要原因。

三、技术创新可持续发展思想的实现

技术创新所产生的负面影响并不能中止社会对技术创新的追求，不应该也不可能中止技术创新活动，社会经济的发展离不开技术创新的引导和推动。对待技术创新负面影响的正确态度应该是树立可持续发展的技术创新思想，积极寻找有效的手段和途径，尽量去克服技术创新的负面影响，使技术创新与可持续发展有机地结合起来。

可持续发展的技术创新应该是经济效益、社会效益和环境效益有机统一的技术创新，是经济效益、社会效益和生态效益的动态平衡。只讲经济效益，忽视新技术的应用对社会和环境可能带来的不利影响，那是一种短期行为，最终会阻碍社会的持续发展，从而使得技术的发展走向歧途；而在市场经济的条件下，只强调社会效益和生态效益而不讲经济效益，技术创新就失去了内在的动力，导致整个社会创新的萎缩，社会发展就会失去其经济基础和科学技术基础，最终使社会效益和生态效益无法实现。通过市场机制和社会管理机制的结合，把经济效益、社会效益和生态效益相统一的思想贯彻、融会到技术创新过程的各个环节，维持经济效益、社会效益和生态效益之间的适当的张力，达到三者之间的动态平衡，是可持续发展的技术创新所要达到的目标。

可持续发展的技术创新还应该是具有适用性的技术创新。技术创新的生命在于实现新技术的应用并获取相应的效益，推动经济和社会的发展。而技术的发展和应用是具有地域性的，一项新技术的应用要取得较好的经济效益、社会效益和生态效益，必须与当地的经济、社会和环境条件相适应，才能达到技术发展与当地社会经济发展的相互促进，共同提高，实现可持续发展。

要实现可持续发展的技术创新，下面几个方面的工作是值得重视的。

1. 建立合理的技术创新评价规范

社会是技术创新的接受者，一项新技术，其产品或工艺最终被社会采用，才能实现创新。因此，社会对新技术的评价是决定技术创新成败的关键因素。如果用户能够从自身的长远利益，从社会的整体和长远发展出发，用可持续发展的眼光去评价和接纳新技术，企业和有关的创新人员、创新机构就会在这种评价规范的约束下，从技术思想的构思，产品或工艺的设计到技术的商品化、产业化，充分考虑到如何把经济效益、社会效益和生态效益融会到技术创新的过程中。

2．建立可持续发展的技术创新选择机制

从技术思想构思、产品或工艺设计到技术的商业化和技术创新的扩散，生产和经营的组织与管理的每一环节都要从可持续发展的角度进行评价，并在此基础上进行技术的筛选，淘汰不符合评价标准的技术，从而确立行之有效的可持续发展的技术创新体系。

3．建立企业技术创新体系

企业是技术创新的主体，一个企业技术创新能力的高低是企业生存与发展的关键。努力营造有利于技术创新的机制，建立多渠道的投资融资体系，尽量规避或减少创新风险，提高企业自主创新能力，形成可持续发展的技术创新的微观基础。

4．建立有效的社会管理机制

市场机制的作用以经济利益为主导，追逐经济利益是企业存在和发展的要求。作为技术创新主体的企业，在技术创新活动中往往会因为自身的经济利益而舍弃社会效益和环境效益，从而对社会的整体发展和持续发展造成危害。因此，对于社会效益和环境效益这类涉及社会持续发展的公共利益，还需要通过政府和公众的力量来维护，通过法律的规范，政府的调控，公众的评价和监督，社会道德的约束，使企业的技术创新走上可持续发展的轨道。

第二节　政府在技术创新中的功能及其强化

技术创新对国家经济发展有着本质的影响，从中外经济发展的经验看，技术创新的效果除了受企业自身的创新机制的制约，还直接受到创

新环境的影响。在市场经济的框架下，企业成为技术创新主体，政府往往不能直接有效地组织和推动技术创新，因此，只能通过为技术创新创造良好的环境来影响技术创新效果，政府在技术创新中的功能也就表现为政府创造良好的技术创新环境。目前，我国经济体制正处在转型时期，市场失灵的领域超出了理论包括的范围，因此，政府在营造及优化技术创新环境方面，肩负着重要的责任。

一、政府在技术创新中的功能分析

政府在技术创新中的功能，主要表现为对良好的创新环境的营造。这里的创新环境主要指外部环境，包含市场环境、政策环境、文化环境。因此，政府在技术创新中的功能，应是创新的导向功能、创新的保护及监管功能、创新的激励功能和创新的强化功能。

1. 技术创新的导向功能

政府的创新导向功能在经济转型时期表现得更为明显。政府通过科学制定各项科技计划，来调控科技资源的合理配置。目前我国已形成系统的科技计划体系，如科技攻关计划、863计划、火炬计划、星火计划等。这些计划已经成为我国技术创新的土壤。另外，导向功能还表现为在经济结构、产业结构调整方面，通过西部大开发战略、科教兴国战略、可持续发展战略来创造新的市场和激发新的市场需求，在相应的创新领域采取税收优惠等政策来诱导企业的自发创新行为，从而引导企业的技术创新发展方向。

2. 技术创新保护及监管功能

随着技术创新主体由政府向企业转化，技术创新已经表现为一种市场行为。企业从市场需求出发，明确创新方向，通过R&D获得技术发明成果，再通过产业化、商业化来实现超额利润，最后通过技术创新扩散来促进企业改进技术水平，增强竞争力。主观上，企业竞争力增强，技术水平提高；客观上，市场竞争加剧，超额利润减少，直到趋于零，从而推动整个社会经济的增长，所有这一系列过程完全由市场机制在操纵。政府在这一过程中，充当"裁判"及"法官"的作用。其具体职能表现为：①制定"游戏规则"。通过制定各项法律法规，来保护技术创新的知识产权，防止"知识产权虚置"，促进科技成果转化为生产力。②通过检查、监督来保证有关法律、法规的贯彻执行，评价、总结技术创新成果。同时，为技术创新主体（即企业）提供有价值的市场信息，减少由于信息不对称而带来的不正当、不公平的市场竞争，预防资源配置的浪费。

3. 技术创新的激励功能

技术创新的主体是企业，技术创新的直接参与者是科技工作者，因此，技术创新首先是企业和个人追求利益最大化的产物，其次才是社会和经济利益最大化的结果。技术创新的成效，直接受到企业和科技工作者从事技术创新的积极性的影响。这就需要建立有效的激励机制来保证企业和科技工作者的利益最大化得到实现。政府在建立技术创新激励机制方面，责无旁贷。激励机制的建立应从两方面来考虑，一是保证技术创新成果发明者的知识产权得到保护，二是从政策上对创新企业在税收等方面给予一定的优惠政策，从而激发创新者的积极性。

4. 技术创新的强化功能

政府在技术创新中的强化功能，主要是在优化文化环境、建立国家信息网络和平台，建立并完善风险投资体系等方面得以体现。通过这一功能的发挥，客观上给技术创新主体营造一个可持续发展的环境，保证技术创新在人才、信息、资金等资源的供应上有中间"加油站"，同时也使技术创新既有"起跑者"、"领跑者"，也有"接力者"，从而保证技术创新的可持续发展。

二、政府在技术创新中的功能强化

当前，我国处于经济体制转型时期，市场机制尚未健全，表现为市场失灵的范畴远远超出其理论范畴。在技术创新方面表现出信息不畅、资金筹措困难、技术创新动因不足、科技工作者积极性不高，甚至在个别项目上，存在创新主体错位现象。扭转这一局面的根本在于改善技术创新的环境，即要求政府在技术创新中的功能发挥要高质、高效。

目前，强化政府在技术创新中的功能应从以下几个方面加强工作：

1.深化科技体制改革，加大知识产权保护力度

目前，我国存在"知识产权虚置"问题，表现为许多科技成果没有申请专利，科技成果转化为生产力的比例很低。解决这一问题的根本是建立技术股权制度，或准技术股权制度。确保技术创新发明者拥有全部或部分知识产权，并在时间上加以明确规定，使其具有时效性。这样，既可以从根本上解决"知识产权虚置"问题，又可极大地调动技术创新者的积极性。另外，政府要从法制经济和信誉社会的高度，花大力气加大知识产权保护力度，对侵权者给予重罚和严厉打击，同时，加强知识产权的宣传教育，使人们真正认识到侵犯知识产权是违法的和可耻的行为。

2.制定创新优惠政策，把税收优惠作为政府推动技术创新、实现其引导功能和激励功能的重要手段

以美国为代表的西方发达国家把税收优惠作为政府推动技术创新的基本手段。其优点是：首先，该手段影响广，可以促进所有企业进行技术创新；其次，不破坏企业之间公平竞争环境；再次，技术创新把政府

行为限定在为企业技术创新创造环境的范围内而不直接干预企业的技术创新，即政府通过税收优惠诱导企业自愿地进行技术创新而不是被迫进行创新，从而增强企业创新的动力。

近年来，我国各级政府也把税收优惠作为促进企业技术创新的重要手段，但所起的作用远远不如发达国家。当前，要在现有基础上对所采取的税收优惠措施不断改进，要通过实际效果和反馈来调整税收优惠的幅度，制定递进税收优惠制度，保证高水平、高收益的技术创新项目，得到高水平的税收优惠，从而避免在税收优惠上存在"大锅饭"现象。同时，要健全企业技术创新投资账目，使国家的税收优惠确实起到促进技术创新的作用，否则税收优惠还是会破坏公平竞争原则。

3.建立风险资本投资体系，解决技术创新投资不足问题

我国技术创新的成长机制长期受科技投资"瓶颈"制约，R&D投资严重不足，仅为美国的1/52，日本的1/39，德国的1/16。我国企业要加快技术创新步伐，必须系统解决科技投资"瓶颈"问题。从根本上解决这一问题，关键在于建立风险资本投资体系。首先，制定宏观管理政策，提供符合国际惯例的海外资金引入政策和调整国内民间投资市场准入政策，并鼓励、大力发展民间资本。其次，集中精力创造一个适合风险资本立足、生长的机制，建立地区性企业吸引风险资本的优势。再次，在投资分配上，要把有限的资本用在重点项目上，形成"有投入、有成果、有利润"的良性资本循环机制。另外，加强企业技术创新资金的审计监管工作，改革现有审计体制，引进网络审计技术，提高审计质量。

4.优化文化环境，为技术创新提供可持续发展的平台

营造有利于技术创新的文化环境，是一个长期、复杂的系统工程，需要政府、学校、企业乃至整个社会的共同努力。其中，政府在经济体制转

型时期，应起到主导作用。首先，改革教育体制，促进产、学、研密切结合。政府一方面要大力推进应用型科研机构企业化转制改造，另一方面要制定相应政策，大力促进产、学、研合作，使产、学、研合作在内容和质量上上一个新台阶，彻底改变创新需求与创新内容错位的现象。从长期来看，随着我国"211工程"和"985计划"的实施，大学的科研实力将大大加强，研究生和博士后规模将迅速扩大。当前，研究生已经有二十多万，估计到2010年在校研究生的规模将达到一百万以上。这些研究生大约有70%以上要进行应用研究，这必然要求高校与企业合作。政府应采取多种措施促进高校与企业的合作与联合，这些措施包括税收优惠、政府与企业分担投入高校的科研经费，支持大学科技园和孵化器建设等。其次，加快国家信息网络平台建设，促进数据信息的商业化经营。信息网络平台是技术创新的重要环境条件。目前，除了继续扩充现有科技网络和教育网络外，政府应该启动各类技术专业网络建设，使企业之间的技术需求与高校科研院所的技术研制和供给等连接起来。目前，一些政府部门提供的数据不及时、不准确，数据统计方法不当，对技术创新很不利。政府应推进有关咨询业的发展，鼓励数据信息服务型企业的发展，特别是数据信息的商业化势在必行。从而在体制上保证数据信息的及时性、准确性及数据服务水平的提高，为技术创新创造一个信息平台。

第三节　建立企业技术创新项目评价
决策支持系统

企业技术创新具有不确定性、风险性和复杂性等特征，要想科学地把握企业技术创新活动，尽可能地减少盲目与失误，就必须加强对企业技术创新项目的分析和评价工作。同时，由于企业技术创新具有多方面的效应，充满不确定性和风险性，因此，企业技术创新项目的分析与评价，又不同于一般经济项目的评价、一般的技术测度分析、产品技术性能评价等，它是一项非常复杂细致的工作。为了使企业技术创新评价工作科学化、规范化，无疑迫切需要科学有利的辅助决策工具，来帮助分析企业技术创新这一复杂问题。本书以技术创新理论、经济评价理论为基础，探讨了企业技术创新项目评价与决策支持系统的研究开发问题，试图为企业技术创新项目论证科学化、规范化提供辅助决策工具。

一、企业技术创新项目评价中的系统

钱学森教授指出："系统就是由相互作用和相互依赖的若干组成部分结合成的具有特定功能的有机整体。这些组成部分称为分系统"。系统的基本要素包括：输入、处理、输出。这三个基本组成要素加上反馈构成一个完备的系统。如图10.1所示。

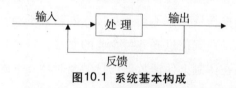

图10.1 系统基本构成

Figure10.1 The Basic Form of System

在系统的三个组成要素中，处理是使输入变为输出的一种活动；输入是处理的对象；输出是处理的结果。系统内部元素和外部条件在系统内部对处理活动和处理过程发生作用的元素称为系统内部元素。在系统外部影响系统输入的因素和被系统输出所影响的元素称为系统外部条件。外部条件也叫外部环境。

系统特征包括：①目的性。系统的存在有其明确的目的，即输出既定的产物。这就是系统的目的性。②整体性。系统是由两个或两个以上的内部元素组成的整体（这又叫系统的集合性）。系统的各内部元素不仅为对系统发生特定的作用而存在，而且任意一个元素的变化都会影响其他元素对系统的作用（这又叫系统的相关性）。③动态性。系统及其内部元素和外部条件都是随时间而变化的。在系统与外部条件之间及系统的诸内部元素之间的相互作用过程中的不同时刻，系统处于不同的状态。④层次性。系统内的诸内部元素可按照其功能归纳为相对独立、层次不同的子系统（分系统）。也可以说，系统由这些相对独立、层次不同的子系统组成。

这里说的"项目评价中的系统"，是项目评价过程中的客体，也就是项目评价对象——项目系统。评价的角度（出发点）不同，被评价的系统的内部元素和外部条件都有所不同，即被评价的系统就不同。然而，这些被评价的系统又共有同一个核心元素——项目，所以它们之间又有着割不断的联系。项目评价中的系统可用图10.2表示。在这个系统中，输入表现为项目系统的投入，即投入项目系统的人力、物力和财力；输出表现为项目系统的产出，即项目系统运行的结果。由于输入和输出都表现为物质形态的实物形式，所以称这个系统为物流系统。

图10.2　项目评价中的（物流）系统

Figure10.2　The System of The Project Evaluation

项目评价中的系统还存在另一种表现形式——价值流系统。项目系统在获得实物形式的人力、物力和财力输入的过程中，必须为这些输入付出一定的代价。这个代价表现为输入物的价值量。因此，项目系统以实物形式的输入可以表示为价值形态的价值量的流出（现金流出）。同理，项目系统在创造实物形式的产出（输出）的同时，又必然会获得相应的价值形态的价值量的流入（现金流入）。这里把以价值形态出现的系统叫做价值流系统。如图10.3所示。

图10.3 项目评价中的（价值流）系统

Figure10.3　The Value System of The Project Evaluation

物流系统中的输入（实物形式）和价值流系统中的流出（价值形式）相对应，且具有相同的价值量。物流系统中的输出（实物形式）和价值流系统中的流入（价值形式）相对应，且具有相同的价值量。物流系统中的内部元素表现为物质形态的人力、物力和财力；价值流系统中的内部元素表现为价值形态的人力、物力和财力的价值量。物流系统中反馈的意义表现为量出为入；价值系统中反馈的意义表现为量入为出。因此，可把物流系统和价值流系统称为一对共扼系统。

二、企业技术创新项目评价决策支持系统的结构与功能

企业技术创新项目评价决策支持系统，由智能人机接口、总控模块、综合分析模块、市场分析模块、环境分析模块、风险分析模块、生产分析模块、管理组织分析模块、自然条件分析模块、技术分析模块、财务分析模块、综合查询模块、评价结果分析模块和评价结果输出模块等组成，如图10.4所示。

1. 智能人机接口

智能人机接口是系统与用户交互的界面，可以理解为用多种形式（菜单选择、命令语言等）表达提问，并将用户的提问转化为系统可以理解的形式，在整个系统的推理和运行过程中允许用户直接干预并能给

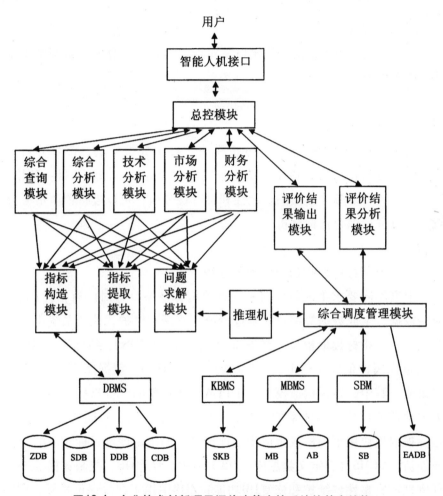

图10.4　企业技术创新项目评价决策支持系统的基本结构

Figure10.4　The Basic Structure of Decision Support System for
the Innovation Project Evaluation

出提示和接受用户的主观判断与经验信息。可将系统运行结果以用户熟悉的方式（表格、图形、文字等显示）输出。

2. 总控模块

总控模块是用于辅助人机接口，对给定问题进行分解、协调组织系统的内含模块。

3. 指标分析子系统

指标分析子系统包含综合分析模块、技术分析模块、市场分析模块、财务分析模块等，该子系统用于完成对企业技术创新项目在环境、技术、市场、财务等方面的合理性和可行性分析，可以进行单项指标分析，也可进行综合指标分析。

4. 评价指标体系构造与管理子系统

根据不同要求生成具体对象的评价指标体系，并对已有指标体系、原始数据、生成数据等综合信息进行统一管理和维护。该子系统由指标构造模块、指标提取模块、数据库管理系统（DBMS）、指标库（ZDB）、原始指标属性值库（CDB）、对象指标库（SDB）、数据库字典（DDB）等组成。其中，指标构造模块用于构造不同对象的评价指标体系，并可方便地修改评价指标体系的结构，不同的体系代表了不同的评价背景。指标提取模块用于提取或生成指定评价对象的指定评价目标对应的指标属性值。DBMS具有定义数据库（DB）结构、操作DB、控制数据的安全保密性和完整性、维护和恢复DB功能；ZDB中用于存放评价指标；CDB中用于存放已形成的指标体系的评价对象的结构化的指标属性值，并按规定结构进行组织；DDB主要存放DB的结构信息。

5. 集成式论证子系统

该子系统由问题求解模块、评价结果分析模块、综合管理调度模块、推理机、知识库管理系统（KBMS）、模块库管理系统（MBMS）、样本库管理系统（SBM）、知识库（SKB）、模型库（MB）、方法库（AB）、样本库（SB）和评价分析结果库（EADB）组成。其中，问题求解模块综合运用已有模型、方法，对问题求解；KBSM负责知识获取，并对系统运行时所需的各种知识进行维护和管理；MBM负责对系统中模型与方法的调用与链接；推理机根据评价的具体目标对SKB推理，并给出问题求解途径；SKB中存放系统运行过程的控制知识、问题求解与目标分析知识、模型与方法知识、评价原则、评价模型、多目标权系数赋值方法、指标量化隶属度函数的描绘与选择知识；MB中用于存放多种模型（如模糊综合评价模型、评价结果分析模型等）；AB中用于存放一些标准方法程序（如评价指标量化隶属度函数程序、各目标权系数赋值的各种方法与程序、图形自动生成程序等）以供分析模块调用；SBM则负责提取样本模式，并对其进行维护和管理；SB中用于存放各种样本模块；EADB则用于存放系统运行时生成的评价结果、分析结果的数据和文件。

6. 综合查询模块

综合查询模块对指定的评价对象的各个方面或某些方面进行查询，可提供灵活的有条件或无条件牵引查询方式，并可以用表格、图形、文字形式显示结果。

7. 评价结果输入模块

该模块可把用户所需信息按其要求方式生成表格、图形、文字等输出到屏幕或打印机。

三、企业技术创新项目论证决策支持系统主要模块分析

企业技术创新项目在技术、市场、环境、风险、财务等方面的合理性与可行性，是由指标分析子系统完成的。下面着重介绍指标

分析子系统的综合分析模块、技术分析模块、财务分析模块与风险分析模块。

1. 综合分析模块

综合分析模块与指标构造模块、指标提取模块、问题求解模块与数据库管理子系统协同完成企业技术创新项目的综合分析与评价，具体分析方法与流程如图10.5所示。

2. 财务分析方法与流程

财务分析模块实现"财务分析"目标，并完成灵敏度分析，其分析方法与流程如图10.6所示。

3. 技术分析方法与流程

技术分析完成技术创新项目技术的先进性、必要性、可行性等方面的评价，分析方法与流程如图10.7所示。

4. 风险分析方法与流程

风险分析实现风险识别和风险评价的目标，并完成风险控制任务，其分析方法与流程如图10.8所示。

四、企业技术创新项目评价决策支持系统的特点

作为企业技术创新项目评价的辅助工具，企业技术创新项目评价决策支持系统具有以下特点：

（1）智能化。主要体现在利用知识完成模型、算法、方法等的选择，辅助模块分析、辅助模块获取参数，知识被用于评价结果的自动生成、系统界面的生成等方面。

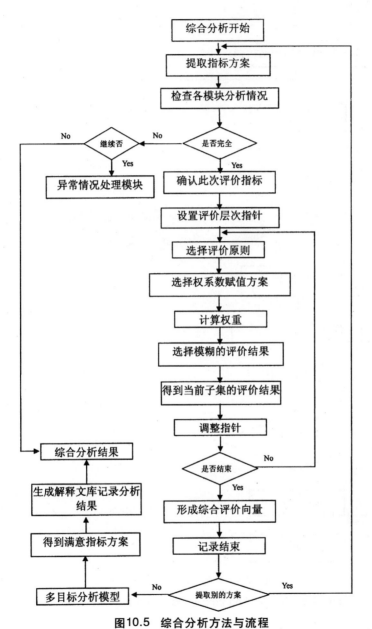

图10.5 综合分析方法与流程

Figure10.5 The Method and Process of the Comprehensive Analysis

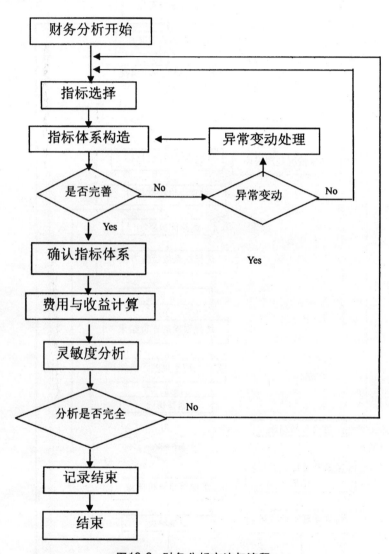

图10.6 财务分析方法与流程

Figure10.6 The Method and Process of the Financial Analysis

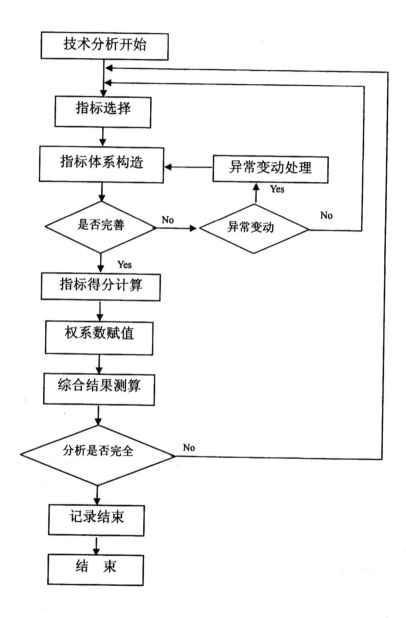

图10.7 技术分析方法与流程

Figure10.7 The Method and Process of the Technological Analysis

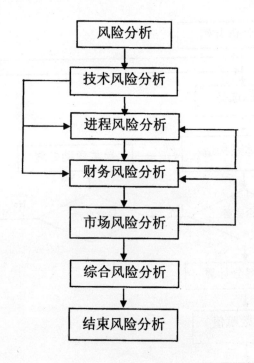

图10.8 风险分析方法与流程

Figure10.8 The Method and Process of the Risk Analysis

（2） 友好的人机界面。企业技术创新项目评价决策支持系统中的人机界面友好而丰富，包括方案输入界面、结果输出界面和各种制作工具等，让用户直接参与项目评价论证工作。

（3） 充分注重了决策人和专家在分析论证中的作用。

参考文献

[1] 郑铁梅.现代企业管理.中国环境科学出版社，1993

[2] J.熊彼特.经济发展理论.商务印书馆，1991

[3] R. 库姆斯，P. 萨维奥蒂，V.沃尔什. 经济学与技术进步.商务印书馆. 1989

[4] 高建. 中国企业技术创新分析. 清华大学出版社，1997：198页

[5] 吴贵生. 技术创新管理. 清华大学出版社，2000：47-85页

[6] 傅家骥. 技术创新——中国企业发展之路. 企业管理出版社，1992

[7] 李秉光，李从东，朱秀文. 论科技风险投资中的风险承担与防范.第五次工业工程学术会议课题集.天津大学出版社，1997：538-541页

[8] 邱东.多指标综合评价方法的系统分析.中国统计出版社，1991

[9] 魏权龄.数据包络分析.科学出版社，2004

[10] 远德玉等.企业技术创新概说.东北大学出版社，1997：32页

[11] 陈文化.腾飞之路——技术创新论.湖南大学出版社，1999：136页

[12] 戚安邦主编. 项目论证与评估. 机械工业出版社，2004：1-35页

[13] 沈建明主编.项目风险管理.机械工业出版社，2004：2-15，102-105

[14] 盛昭瀚，朱乔，吴广谋著. DEA的理论、方法与应用. 科学出

版社，1996：1-42页，153-168页

[15] 王凭慧著.科技项目评价方法.北京：科学出版社，2003：17-21,32-39,65-66

[16] 陈劲主编.研发项目管理.机械工业出版社，2004：7-12，41-47，121-158页

[17] 魏权龄.评价相对有效性的DEA方法——运筹学的新领域中国人民大学出版社，1988

[18] 钱学森，于景元，戴汝为.一个科学新领域——开放的复杂巨系统及其方法论.科学决策与系统工程.北京：中国科学技术出版社，1990：1-8页

[19] 张贤模，张金锁主编.技术经济原理与方法.北京：机械工业出版社，1996

[20] 陈廷编著.决策分析.北京：科学出版社，1987

[21] 刘友金.企业技术创新论.中国经济出版社，2001：12,14-17,73-78,105页

[22] 李垣，刘益，王建国.企业技术创新.西安交通大学出版社，1993：5-10，54-60

[23] 许庆瑞. 技术创新管理. 浙江大学出版社，1990：124-190页

[24] 傅家骥. 技术创新学. 清华大学出版社，1998：13-31，343-351

[25] 张永谦，郭强. 技术创新的理论与政策. 中山大学出版社，1999：107-108，323-335页

[26] 王立国等.投资项目评估学.大连：东北财经大学出版社，1994

[27] 邹一峰等.中外投资项目评价.南京：南京大学出版社，1998

[28] 杨华峰等.投资项目经济评价.北京：中国经济出版社，2000

[29] 周惠珍.投资项目评估.大连：东北财经大学出版社，1993

[30] 柳卸林.技术创新经济学.中国经济出版社，1993

[31] 王西麟.高技术企业成长论.暨南大学出版社，1996

[32] 魏江.企业技术创新能力论.北京：科学出版社，2002

[33] 宋逢明，陈涛涛.高科技投资项目评价指标体系的研究.中国软科学，1999（01）:90-94页

[34] 王威，高长元，黄英帼.高新技术产品认定与评价方法的比较研究.北方经贸，2002（1）:34-35页

[35] 刘希宋,曹霞,李大震.风险投资及投资风险评价.中国软科学，2000（3）

[36] 国家重点新产品项目的评价指标体系.国家科技部，2001

[37] 李建华,葛宝山.高技术产业化风险投资的风险评估与防范.管理现代化，1994（6）:33-35页

[38] 葛宝山,姚梅芳.高技术产业化风险评价的AHP法.系统工程理论与实践，1999（9）:116-119页

[39] 陈振远.创业投资方案评估之策略性分析.台湾国立政治大学企业研究所硕士课题.1986

[40] 刘德学，樊治平.风险投资的非系统风险的模糊评价方法科技进步与对策，2002（2）:113-115页

[41] 刘德学,樊治平，王欣荣.风险投资项目经理素质的主客观评价方法.管理工程学报，2002（1）:55-58页

[42] 冯燕奇，唐洁，聂巧平.我国高技术产业化的主成份评价方法.科学学与科学技术管理,2001（11）:29-32页

[43] 吴中志.高新技术产业化的综合评价方法.中南财经大学学报，2001（3）:42-46页

[44] 吴隽,薛立.灰色评价方法在电子商务经济增长中的应用研究.中国软科学，2002（5）:106-108页

[45] 成其谦，汪虹昱.企业技术创新能力测度和评价方法.技术经济，2002（3）:24-26页

[46] 张义珍，杨少梅.农业高新技术投资项目综合评价方法初探.农

业技术经济，2001（3）：38-42页

[47] 李晓.农业技术创新系统综合实力评价方法的研究.软科学，2002
（1）:14-18

[48] 骆珣，秦丽.层次分析法在风险投资项目选择中的应用.技术经济，2000（4）:64-66页

[49] 徐绪松，但朝阳.高技术项目投资风险模糊综合评价模型.数量经济技术经济研究，2000（1）:34-36页

[50] 周乃敏.高技术风险投资公司择项的评价体系研究.技术经济与管理研究，1999（2）：36-37页

[51] 同明伟．风险投资的风险与防范.技术经济与管理研究，1999（1）：62-63

[52] 臧秀清.科技成果转化的风险及防范措施.中国软科学，2000，112（4）：48-50页

[53] 刘满凤.企业管理中的定量化评价方法评析.当代财经，2003（5）：80-82页

[54] 刘友金，刘洪宇．企业技术创新效果的模糊综合评价模型设计及其应用.系统工程，2000（6）

[55] 孙建平，王海舟.AHP法和模糊综合评价法在技术资产评估中的组合应用.南京理工大学学报（社会科学版），2000（1）

[56] 朱燕，李章华.模糊综合评价得分层抽样方法.清华大学学报（自然科学版），2002（8）

[57] 苏泽雄，张岐山.基于BP神经网络的企业技术创新能力评价.科技进步与对策，2002（5）

[58] 李新春，孙艳，陶学禹.应用神经网络评价矿区可持续发展.中国矿业大学学报，2001(7)

[59] 张炜.中美两国研发经费的比较研究.中国软科学，2001 (10)

[60] 崔德瑛，张润利.技术创新.工程机械，2003（11）：24-26页

[61] 戴维存.我国国有企业技术创新动力机制研究.哈尔滨工业大学硕士学位课题，1998（12）：16页

[62] 雷大刚．技术创新投资融资风险防范机制的探讨．中国投资管理，1997（8）：48-50页

[63] 吕军，庄小丽，曹休宁．论企业技术创新的性质及内部动力因素．科技进步与对策，2000（7）：63-64页

[64] 文罡，梅其君，曹志平.中小企业技术创新的类型分析.科技管理研究，1999（6）：55-57页

[65] 刘顺忠，官建成.信息和市场对企业工艺创新过程作用的研究.科研管理，2003（4）26-29页

[66] 胡汉辉，谢庆红.数据包络分析：中国的进展及展望（1993-1997）.系统工程理论方法应用，1998（4）：5-15页

[67] 杨印生，李树根，郝海.数据包络分析（DEA）的研究进展.吉林工业大学学报，1994（4）:111-118页

[68] 魏权龄等.DEA方法与"前沿生产函数".经济数学，1989（5）

[69] 于维生.应用 DEA方法估计生产函数.东北运筹，1992（7）：178-181页

[70] 杨印生等.发展评价与决策的DEA方法及应用.吉林大学学报，1991年特刊

[71] 陈瞬贤，马学良.关于农机化增产效果的探讨.农业现代化研究，1991（5）:56-58页

[72] 肖承忠等.用数据包络分析（DEA）方法进行企业管理的比较研究.上海机械学院学报，1988（3）:23-30页

[73] 魏权龄，卢刚.DEA方法与模型的应用.系统工程理论与实践，1989（3）

[74] 李丽,陆颖.相对合谐度与经济系统的效率评价.东北运筹，1992（10）：40-106页

[75] 崔顺英，尤完.质量经济分析中DEA模型的应用研究.武汉工业大学学报，1991（2）

[76] 刘绍云.高新技术产业化项目的评价研究（硕士课题）.2001.7

[77] 吴树山.高科技项目评价探析.科技进步与对策，1999（1）：59-60页

[78] 余德忠.基于模糊理论的产品创新项目综合评价的分析与研究.重庆大学硕士课题，2003年

[79] 施培公.论技术创新项目评估.科技管理研究，1995（4）:30-32页

[80] 杨扬.基于期权理论的技术创新项目选择与决策方法研究（硕士课题），2003：15-16页

[81] 许庆瑞，郭斌，王毅.中国企业技术创新——基于核心能力的组合创新.管理工程学报，2000，14（B12）:1-9页

[82] 官建成，王瑛，马宁.制造业企业R&D能力与竞争力关系的研究.中国机械工程，2002，13（3）：260-263页

[83] 杨燕，柳洲.企业创新能力系统分析与对策.河北经贸大学学报（综合版），2004（1）：78-80页

[84] 官建成，马宁.企业技术创新能力与出口行为研究.数量经济技术经济研究，2002，19(2):103-106页

[85] 毕可新，丁晓辉，冯英俊.制造业中小企业工艺创新能力测度指标体系的构建.数量经济技术经济研究，2002（12）:104-107页

[86] 张小利.投资项目评价中的企业能力评价.中国投资与建设，1997（12）:41-43页

[87] 官建成，马宁.DEA控制投影模型及其应用.中国管理科学，2003（1）:66-69页

[88] 韩新严，吴添祖.技术创新绩效评估指标.技术经济，2003(5)：28-30

[89] 王波，张群，王非.考虑环境因素的企业DEA有效性分析.控制

与决策，2002（1）：24–28页

[90] 官建成，史晓敏.技术创新能力和创新绩效关系研究.中国机械
工程，2004（11）:1000–1004页

[91] 官建成，王军霞.DEA灵敏度分析的进一步探讨与应用.系统工
程理论与实践，2003（1）：37–43页

[92] 何友中.高新技术产业化项目的可行性研究.中国投资与建设
1997（9）

[93] 唐子岳.试论项目科技含量的初步评价.攀枝花科技与信息1999（3）

[94] 张天学，张福翔.DEA评价与排序的新方法.数学的实践与认识
2002（6）：911–919页

[95] 张福翔，张天学.用DEA方法评价先进制造技术的新方法.郑州
航空工业管理学院学报，2000,18（4）：41–47页

[96] 孙威武.企业技术创新项目风险评价.中南财经政法大学学报，
2004（1）:120–124页

[97] 张炯，叶元煦，张沈生.技术创新项目的风险因素分析与风险
防范机制.经济体制改革，2001（5）:70–74页

[98] 张炯.技术创新项目评价与决策方法研究.哈尔滨工业大学博士
课题，2003：5–19页

[99] 何静.只有输出（入）的数据包络分析及其应用.系统工程学报，
1995, 10（2）:48–55页

[100] 申恩平，韩丽娇.投资项目评价方法的选择.沈阳工业大学学报，
1998（4）:158–160页

[101] 魏权龄，崔宇刚.评价相对有效性的几个重要DEA模型.系统工
程理论与实践，1989, 9(2):55–68页

[102] 魏权龄，卢刚.DEA方法与模型的应用.系统工程理论与实践，
1989, 9（3）:67–73页

[103] 朱乔，陈遥.一种预测的新方法——DEA方法应用于的新领域.

数理统计与管理，1991，12（6）：49-54页

[104] 王应明，付国伟.运用DEA思想进行有限方案多目标决策.管理工程学报，1993，21（1）：32-36页

[105] 明晓东，吴文江.数据包络分析在对建设项目投资中的应用.武汉工业大学学报，1998（2）：93-95页

[106] 田军，何德权，黄登仕.基于多准则随机DEA模型的投资决策评价方法及应用.中国管理科学，2000（4）：43—49页

[107] 卢建波，王颖，伦学廷.我国中小企业工艺创新中存在的问题及对策分析.技术经济与管理研究，2003（4）：47—48页

[108] 应松宝，郭耀煌.基于多准则随机DEA模型的投资决策评价方法.西南交通大学学报，2003（2）：92—96页

[109] 杨印生，李树根，孙巍.熵—DEA有效性与多目标决策.吉林工业大学学报，1993（1）：40-42页

[110] 张文泉，张世英，江立勤.基于熵的决策评价模型及应用.系统工程学报，1995（2）：69-74页

[111] 周国良.基于熵的不确定性项目决策优化模型.重庆大学学报，2003（11）：146-148页

[112] 郑秀慧，张清，罗敏.熵权系数法在投资项目风险决策中的应用.科技与管理，2000（2）：73-75页

[113] 李同宁，陈学中.评价和控制项目投资估算精度的DEA方法.系统工程理论与实践，1999（5）：96-99页

[114] 赵维双.论政府在技术创新中的功能及其强化.经济师，2003（1）：88-89页

[115] 康凯，刘宏.企业技术创新项目论证决策支持系统研究.河北工业大学学报，1998（2）：57-63页

[116] 胡树华，王秀婷.产品创新平台的理论研究与实证分析.科研管理，2003（5）：8-13页

[117] 陈学中，刘金生.对开发DSS原形法的系统研究.济南：山东建材学院学报，1992（1）

[118] 陈中基，杨文宣.DSS用户界面管理系统.上海：工程技术大学学报，1994（4）

[119] 王英明.关于专家最优综合评价模型的改进与完善.系统工程，1992（11）

[120] 李登峰，程春田，陈守煜.部分信息不完全的多目标决策方法.控制与决策，1998，13（1）：83-86页

[121] 杨萍，刘卫东.基于证据理论的群决策层次评价方法研究.系统工程与电子技术，2002（2）：43-44，92页

[122] 贾慰文.提高国家技术创新能力.新华文摘，1995（5）：21-27页

[123] 许伟，肖承忠.数据包络分析方法的灵敏度分析.上海机械学院学报，1990（39）

[124] 许伟，肖承忠.数据包络分析中C^2GS^2模型的灵敏度分析.系统工程，1992（6）

[125] 谢晓红，周宇.基于模糊数学的项目评价方法研究.安徽建筑工业学院学报（自然科学版），2003（2）：75-78页

[126] 谭清美，周之豪.论投资项目评价中的系统.技术经济与管理研究，1999（4）：31-32页

[127] 杜栋.企业技术创新评价的DEA方法.系统工程理论方法应用.2001，10（1）：82-84页

[128] 马宁，官建成.影响我国工业企业技术创新绩效的关键因素.科学学与科学技术管理，2000（3）：16-20页

[129] 韩新严，吴添祖.影响我国企业技术创新总体绩效水平的因素和对策.科学学与科学技术管理，2003（3）：19-23页

[130] 张福翔，张天学.用DEA方法评价先进制造技术的新方法.郑州航空工业管理学院学报，2000，18（4）：41-47页

[131] 蔡希贤，聂鸣，周宏章.技术创新项目成败因素及其分析方法探讨.科学管理研究，1993（4）:23-26页

[132] 马占新，任慧龙，戴仰山.DEA方法在多风险事件综合评价中的应用研究.系统工程与电子技术，2001，23（8）:7-11页

[133] 谢科范.技术创新项目的中止决策.27-30页

[134] 黄荣兵，项建国，杨缦琳.R&D项目选择模型与终止模型的比较.科研管理，1999，20（1）:108-112页

[135] 范旭，曲用心.略论可持续发展的技术创新思想.科学管理研究，2001（3）:4-6，21页

[136] 杨印生等.一类多目标决策方案优选的DEA方法.东北运筹，1992（7）:50-52页

[137] 赵树，王玉.项目的风险识别和防范.上海管理科学，2002（5）:51-52页

[138] 赵曙东.高新企业技术创新和发展的实证分析.数量经济技术经济研究，1999（12）:63-65页

[139] 任志安.企业高新技术项目投资决策的基本问题分析.经济问题，2002（3）:21-23页

[140] 赵秀云等.风险项目投资决策与实物期权估价方法.系统工程学报，2000（9）

[141] 李秉祥等.项目投资中的期权及其决策分析.西安理工大学学报，2000（2）

[142] 戴迎国，沈荣芳，彭正龙.民营科技企业技术创新项目选择模型.运筹与管理，2002，11（1）:102-106页

[143] 李成标.一种项目群的选择方法.工业技术经济，1995，14（3）:45-47页

[144] 李成标，牛永兰，徐定安.项目群选择的目标规划模型.工业技术经济，1996，15（2）:81-82页

[145] 高晓文.对企业技术创新评价的思考.企业改革与发展，2001（6）：60-61页

[146] 董晓霞.企业技术创新外部环境分析.企业技术进步，2001（5）

[147] 李滨江.创业项目融资探析.陕西省行政学院、陕西省经济管理干部学院学报，2001（3）

[148] 魏明，杨仲伟.构建我国企业非财务绩效评价体系的思考.财会月刊，2004（7）：43-44页

[149] 许皓，严鸿和.国企技术创新绩效不佳的分析与对策.经济问题探索，2000（10）：74-76页

[150] 徐小龙.工业技术创新能力演进机理分析.科技管理研究，2002

[151] 王春生.用DEA方法对项目进行经济评价的探讨.沈阳建筑工程学院学报，1997，13（2）：179-182页

[152] P.Stoneman. The Economic Analysis of Technological Change. Oxford University Press, 1983

[153] C.Freeman.The Economics of Industrial Innovation, London,Frances Printer, 1982

[154] Steve Dowrick. Economic Approaches to Innovation. Edward, Elgar Publishing Ltd., 1995

[155] G. Sharp. Venture Capital. 2nd Edition. Euro-money Publications PLC, 1994

[156] Organization for Economic Cooperation and Development.Proposed Guidelines for Collecting and Integrating Technological Innovation Data，OSLO Manual. Paris: OECD，1996

[157] Burgelman R,Maidique M A,Wheel wright S C . Strategic Managemen of Technology and Innovation. New York:Me Graw-Hill Inc,1996

[158] Li Shan. Analyzing efficiency and managerial performance：using sensitivity scores of DEA models (Garland studies on industrial

productivity), New York: Garland Pub, 1996-XV, 148p

[159] T.R.Sexton, R.H.Silkman, A.G.Hogan. Data Envelopment Analysis: Critique and Extensions.R.H.Silkman (Ed.), Measuring Efficiency: An Assessment of Data Envelopment Analysis. Jossey-bass, San Francisco, 1986, 73-104p

[160] Gratzer G. General Lattice Theory. New York:Academic Press,1978

[161] Van de Ven A, Ferry D. Measuring and Assessing Organizations New York: Wiley, 1979

[162] Li Shugen, Yang Yinsheng. Data Envelopment Analysis and Multiplan Decision-making Modelling, Signals & Systems. AMSE press, 1990

[163] Marc H.Mayer and James Utterback, the Producd family and the dynamics of core capability, Sloan Management Review, Spring 1993: 29-47p

[164] M. H.Meyer and A.P.Lehnerd. The Power of Product Platform: Building Value and Cost Leadership. New York: Free Press, 1997

[165] M.E.McGrath.Product Strategy for High-technology Companies: Accelerating Your Business to Web Speed, Mcgraw-Hill. NewYork 2001, 2nd, ED.

[166] T.E.Copeland, J.F.Weston. Financial theory and corporate. Addison-Wesley Publishing Company,1992: 85-99p

[167] A. Charnes, et al. Aemi-infinite Multi-criteria Programming Approach to Data Envelopment Analysis with Infinitely Many Decision-making Units. The University of Texas at Austin, Center for Cybernetic Studies Report CCS551, Sept. 1986

[168] A.Chanes, et al. Cone Ratio Data Envelopment Analysis and Multiobjective Programming. The University of Texas at Austin,

Center for Cybernetic Studies Report CCS 559, Dec. 1986

[169] A.Charnes, et al. Compositive Data Envelopment Analysis and Multiobjective Programming. The University of Texas at Austin. Center for Cybernetic Studies Report, June 1988

[170] C.Starr. Social Benefit versus Technological Risk, Science.1989: 165-1232p

[171] E.Mansfield, Etc.Foreign Trade and US Research and Development, Review of Economic and Statistics. 1979

[172] M.Delgado, J. L. Vredegay, M. A. Vila. Linguistic decision-making models. Journal of Intelligent System, 1992 (7):479-492p

[173] V.Chiesa, P.Coughlan and C.Voss. Development of a Technical Innovation Audit, Journal of Product Innovation Management.1996,13

[174] R.G. Cooper. An Empirically Derived New Product Selection Model. IEEE Transaction on Engineering Management.1981, (28):54-61p

[175] B.J. Zirger, M.A.Maidigue. A Model of New Product Development: An Empirical Test. Management Science. 1990 (36):869-883p

[176] T.T.Tyebjee,A.V.Bruno.A Model of Venture Capitalist Investment Activity. Management Science. 1984, 30 (9): 1051-1066p

[177] R.T.Moriarty, T.J.Kosnil. High-tech Marketing: Concepts, Continuity and Change Sloan Management Review.1989, 30 (4):7-17p

[178] G.C.Belev.Minimizing Risk in High-tech Programs.Cost Engineering. 1989, 31(10):11-14p

[179] A. Bergman, M.Fuss, H. Regev. Tech Firm in Israel Industry. 1989 (3)

[180] P.P.Shenoy. Valuation based systems for Bayesian decision analysis.Operations Research.1992,40 (3):463-492p

[181] P.P.Shenoy. A comparison of graphical techniques for decision

analysis. European Journal of Operational Research.1994,78(1):
1–13p

[182] A. Charnes, W. W. Cooper, E. R. Rodes. Measuring Efficiency of Decision Making Units.European Journal of Operational Research, 1978（2）:429–445p

[183] A.I. Ali,W.D. Cook, L.M.Seiford. Strict VS weak ordinal relation for multipliers in DEA. Management Science, 1991(6):733–738p

[184] J.K.Sengupta.Transformations in stochastic DEA models.Journal of Econometries, 1990(46):109–123p

[185] B.Golany.A Note on Including Ordinal Relations Among Multipliers in Data Envelopment Analysis. Mana. Sci., 1989,34（8）:1029–1033p

[186] Kuo Pingchang, et al. Linear Production Functions and the Data Envelopment Analysis. EJUR 1991, 52:215–223p

[187] William F.Bowlin. Evaluating the Efficiency of US Air Force Real-property Maintenance Activities, J. Opt Res. Soc. 1987, 38(2): 127–135p

[188] A.Charnes, et al. DEA Cone Ratio Approach for Use in Developing Decision Support Systems to Monitor Performance in A Collection of Banks, The Univ. of Texas at Austin, Sep. 1989

[189] R.Fare, Grosskopf, et al. Productivity Developments in Swedish Hospitals. A Malmquist out put Index Approach, Paper Presented at the Conference on Uses of DEA in Mnagement, Austin, Texas, USA, 1989

[190] Patricia Byrnes, et al.Does Charity Care Constrain Revenues in Not-for-profic Hospitals? The Ohio State Univ. August 1989

[191] Wade D.Cook, et al. On the Measurement and Monitoring of Relative Efficiency of Highway. Maintenance Patrols, York Univ.,

July 1989

[192] B.Golany. An interaction MOLP procedure for the extension of DEA to effectiveness analysis. J of Oper Res–Society, 1988(39): 725–734p

[193] K.Yoon. The propagation of errors in multiple attribute decision analysis: A practical approach. Journal of the Operational Research Society. 1989, 40 (7): 681–686p

[194] J.B.Barney. Organizational Culture: Can It Be a Source of Sustainable Competitive Advantage. Academy of Management Review, 1986, 11:656–665p

[195] Christensen J. F. Asset Profiles for Technological Innovation. Research Policy, 1995, 24:727–745p

[196] Chiesa V. Coughlan P, Voss C. A. Development of a Technical Innovation Audit.IEEE Engineering Management Review, 1998, 26(2):64–91p

[197] Guan Jiancheng.Comparison Study on Industrial Innovation between China and Some European Countries.Production and Inventory Management Journal, 2002, 43(3/4):30–46p

[198] R.Fare, S.Grosskopf. Measuring output efficiency. European J of Operations Research, 1983, 13:173–179p

[199] Miettinen P, R. P. Hamalainen. How to benefit from decision analysis in environmental life cycle assessment.European J of Operational Research, 1997, 102(2):279–294p

[200] Fare R, Grosskopf S. Effects on relative efficiency in electric power generation due to environmental control.Resource and Energy, 1986, 8(1):167–187p

[201] Haynes K E, Ratick S. Environmental decisions models: US

experience and a new approach to pollution management. Enviro-nment Int, 1993, 19(3):261-275p

[202] L. M. Seiford, J. Zhu. Sensitivity analysis of DEA models for simultaneous changes in all the data. J Opl Res Soc, 1998, 49 (4): 1060-1071p

[203] L. M. Seiford, J. Zhu. Stability regions for maintaining efficiency in data envelopment analysis. Eur J. Opl Res, 1998, 108 (1): 127-139p

[204] M.Khouja. The use of data envelopment analysis for technology selection.Computers and Industrial Engineering, 1995, 28 (2): 123-132p

[205] P. Anderson, N.C.Petersen. A procedure for Rank Efficient Units in Data Envelopment Analysis. Management Science, 1993, 39 (10): 1261-1264p

[206] J.Doyle, R.Green. Efficiency and Cross-efficiency in DEA:Derivations, Mcanings and Uses.Journal of the Operational Research Society, 1994, 45 (5):567-578p

[207] Gang Linguo, Bruce Sury. Measuring production with random inputs and outputs using DEA and certainly equivalent. European Journal of Operation research, 1998, 111:62-74p

[208] Dess G.Consensus in the Strategy Formulation and Organizational Performance: Competitors in a Fragmented Industry Strategy Mana-gement Journal, 1987, 8 (3): 259-277p

[209] Powell T C, Micallef A N. Information Technology as Competitive Advantage: the Role of Human, Business and Technology Resources Strategy Management Journal, 1997, 18(5): 375-405p

[210] Sarkis J. Evaluating Flexible Manufacturing Systems Alternatives

Using Data Envelopment Analysis. The Engineering Economist, 1997,43 (1) :25-47p

[211] D.Robertson and K.Ulrich.Planning for Product Platform. Sloan Management Review, 1998, 39 (4) :19-31p

[212] N.Bryson, A.Mobolurin. An action learning evaluation procedure for multiple criteria decision-making problems. European Journal of Operational Research. 1996, 96 (3): 379-386p

[213] Soung Hie Kim, Byeong Seok ahn. Interactive group decision making under incomplete information. Eueopean Journal of Operational Research.1999,116 (4): 498-507p

[214] J. Sarkis. A comparative analysis of DEA as a discrect alternative multiple criteria decision tool. European Journal of Operational Research. 2000, 123: 543-557p

[215] Sharp, S. William. Mutual Fund Prformance. Journal of Business. 1996, 39

[216] J.Utterback and W. J. Abernathy, The dynamic model of process and process innovation, Omega, 3, 1976: 639-655p

[217] L.M. Seiford, R.M. Thrall. Recent developments in DEA: the mathematical programming approach to prontier analysis. Journal of Economics, 1990, 46 (1-2):(Oct-Nov) 7-38p

[218] R.D.Banker, C.Morey. Efficiency analysis for exogeneously fixed inputs and outputs. Ops Res, 1986 (4):513-521p

[219] Chiang Kao. Efficiency improvement in DEA. Eur J Ops Res, 1994 (73):487-494p

[220] A.Charnes, W.W.Cooper, R.M.Thrall. A structure for classifying and characteristing efficiencies and inefficiencies in DEA. Journal of Production Analysis, 1991(2):193-237p

参
考
文
献

[221] B.Golany. A Note on Including Ordinal Relations Among Multipliers in Data Envelopment Analysis. Mana.Sci., 1989, 34 (8):1029–1033p

[222] A.Charnes, et al. Sensitivity and Stability Analysis in DEA. Annals of O.R.,1985,2:139–156p

[223] A.Charnes, et al. Sensitivity Analysis of the Dative Model in Data Envelopment Analysis. EJOR, 1990, 48:332–341p

[224] J.C.Guan, N.Ma. Innovative Capability and Export Performance of Chinese Firms, Technovation—The International journal of Technological Innovation and Entrepreneurship (in Press), 2003

[225] J.Sarkis. Evaluating Flexible Manufacturing Systems Alternatives Using Data Envelopment Analysis.The Engineering Economist, Fall 1997, 43 (1):25–47p

[226] A.Charnes, W.W.Cooper, Q.L.Wei, Z.M.Huang. Cone ratio data envelopment analysis and multi –objective programming. International Journal of Systems Science, 1989,20:1099–1118p

[227] V.V.Podinovsk. Side effect of absolute weight bounds in DEA models. European Journal of Operation research, 1999,115: 583–595p

[228] C.Kao. Efficiency improvement in data envelopment analysis. European Journal of Operation research 1994,73:253–290p

[229] Thierry Post, Jaap Spronk. Performance bench marking using interactive data envelopment analysis. European Journal of Operation research, 1999, 115: 472–487p

[230] R.Balachandra and Joseph A. Raelin. How to Decide When to

Abandon a Project . Research management, 1980, July

[231] Klaus Brockhoff. R&D Project Termination Decision by Discriminant Analysis—An International Comparison.IEEE Transactions on Engineering Management. Vol 41, No. 3, August 1994, 245-254p

[232] F.Lefley.Capital Investment Appraisal of Advanced Manufacturing Technology International Journal of Production Research. 1994, 32 (12): 2751-2776p

[233] Li Xiaobai, R. Reeves Gary. A multiple criteria approach to data envelopment analysis. European Journal of Operation research 1999, 115:507-517p

[234] L.Trigeorgised. Real Options in Capital Investment: Models, Strategies and Applications. Praeger, 1995.

[235] Gary P.Pisano and Steven C.Wheelwright.The Logic of High-Tech R&D.Harvard Bus. Rev. September- October 1995

[236] R.Fare, S.Grosskopf. Measuring output efficiency.European J of Operations Research, 1983, 13:173-179p

后 记

　　DEA方法已经成为管理科学、系统工程和决策分析、技术经济分析与评价等领域的一种重要的分析工具和手段。DEA方法作为一种理想的多目标决策方法，能够为项目综合评价拓宽思路，提高项目评价结果的客观性和准确性。

　　本书应用DEA方法进行技术创新项目及其方案的比较分析，从企业创新能力、技术选择、技术创新项目风险的评价和项目投资决策优化角度建立DEA模型，进行DEA有效性的判定，剔出较差的项目或方案，并把较好项目或方案之最佳侧面反映出来，以供决策者进一步抉择。本书主要有以下几个方面特点：

　　首先，从系统的观点出发，在企业技术创新能力评价、技术创新项目的技术选择评价、技术创新项目风险评价和项目投资决策等方面广泛运用DEA方法进行研究，使之贯穿于整个论文的始终，并据此构建了一个完整而明确的技术创新项目投资前的系统科学评价和决策体系。

　　其次，基于企业技术创新理论和项目管理理论，对企业技术创新项目及其评价的内容体系和技术创新项目投资决策体系等内容进行了科学界定。

　　第三，在采用数据包络分析（DEA）基本理论观点和基本理论模型的基础上，对其原有的经典评价模型进行了改进，并创新性地将其与其他理论相结合构造出混合型的DEA评价模型，使DEA这种理论方法在企业技术创新项目评价与决策上有了更加广泛的应用，增强了该方法的适用性。

企业技术创新项目的评价与决策问题的研究难度较大，涉及很多学科领域，尽管做了许多努力，但由于本人的水平有限，书中的缺点和不足之处在所难免，恳请读者批评指正，并提出宝贵意见。

张　凌

于哈尔滨工程大学

2006年4月

选题策划：柯尊全
责任编辑：阮宏波
装帧设计：徐　晖

图书在版编目（CIP）数据

企业技术创新项目评价与决策体系研究／张 凌 著.
（创新文库 ）
－北京：人民出版社，2006
ISBN 7－01－005627－7
Ⅰ.企... Ⅱ.张... Ⅲ.企业管理－技术革新－研究 Ⅳ.F273.1
中国版本图书馆 CIP 数据核字（2006）第 064906 号

企业技术创新项目评价与决策体系研究
QIYE JISHU CHUANGXIN XIANGMU PINGJIA YU JUECE TIXI YANJIU

张 凌 著

人民出版社 出版发行
（100706 北京朝阳门内大街 166 号）
http://www.peoplepress.net

北京集惠印刷有限责任公司印刷 新华书店经销
2006 年 8 月第 1 版 2006 年 8 月第 1 次印刷
开本：710 毫米×1000 毫米 1/16 印张：15
字数：201 千字 印数：0,001－3,000 册
ISBN 7－01－005627－7 定价：30.00 元